하늘에 계신
우리아빠

최인호

하늘에 계신

우리 아빠

열림원

기뻐하고 즐거워하여라.

너희가 받을 큰 상이 하늘에 마련되어 있다.

여기에 실린 글들은 1998년부터 1999년까지 2년 동안 천주교 서울대주교에서 발행되는 주보에 연재되었던 '말씀의 이삭'을 모은 것이다.

대부분의 내용들은 주관적인 해석을 배제하고 가능하면 세계적으로 잘 알려진 예술가라든가 그들의 걸작품, 그리고 꼭 가톨릭 작품이 아니더라도 널리 알려진 국내외 작품들과 일화들을 인용함으로써 성경 속의 말씀이 어떻게 문학과 미술, 음악과 같은 예술과 일상생활 속에 녹아 살아 형상화되고 있는가를 나름대로 인용하고 묵상해본 내용들이다.

유명한 샹송 〈고엽〉의 작사자인 프랑스 시인 프레베르는 이렇게 노래하였다.

하늘에 계신 우리 아버지,
그냥 그곳에 그렇게 머물러 계십시오.

그러니 그곳에서 제발 우리를 참견하지 마십시오.

물론 프레베르는 주의 기도문 맨 처음에 나오는 '하늘에 계신 우리 아버지'라는 구절을 빗대어 이런 독특한 시를 쓴 것이다. 그러나 프레베르가 그렇게 노래했다고 해서 하늘에 계신 우리 아버지는 하늘에만 머물러 있지 않음을 우리는 잘 알고 있다. 또한 우리에게 보이지 않는 영혼의 숨결과 손으로 참견하지 않은 것처럼 시치미를 떼고 교묘히 참견하여 끊임없이 변화시키고 있음을 우리는 잘 알고 있다. 그러므로 차라리 그러한 아버지를 두려워하거나 어려워할 필요 없이 '아빠'라고 부를 수 있다면 하느님은 마침내 하늘에만 머물러 있지 아니하고 내 마음속에 드리우게 될지도 모른다.
책의 제목을 '하늘에 계신 우리 아빠'라고 한 것은 그런 소박한 마음에서다.

하늘 높은 곳에는 아빠께 영광
땅에서는 그가 사랑하시는 아들들에게 평화

2008년 2월
최인호

| 차례 |

자, 일어나
가자

하느님께 앙갚음한 사나이

하늘나라는 어떤 사람들이 밭에 좋은 씨를 뿌린 것에 비길 수 있다.

존 그린 한닝은 1849년 1월 12일 미국 켄터키 주에서 태어났습니다. 그는 어렸을 때부터 불같은 성격을 지닌 소년이었습니다. 싸움을 좋아하고 반드시 앙갚음을 하는 거친 성격을 가지고 있었습니다.

열여섯 살 되던 해 아버지와 싸운 그는 '앙갚음을 해줄 것이다'라는 복수심으로 아버지의 담배 창고에 불을 지르고 가출까지 하였습니다. 그는 리우그란데로 도망쳐 오랫동안 카우보이 생활을 하며 거친 서부의 사나이가 되었습니다. 9년 만에 집으로 돌아온 그는 메리라는 여인에게 매혹되어 약혼까지 합니다. 그러나 메리로부터 자기의 남편이 될 사람은 반드시 진실한 가톨릭 신자라야 한다는 말을 들은 그는 '앙갚음을 해줄 것이다'라고 결심하고는 서른여섯 살의 늦은 나이에 트라피스트 봉쇄수도원에 입회합니다. 수도원 생활도 불같은 존 그린 한닝의 성격을 바꿀 수는 없었습니다.

메리 요아킴 수사로 이름을 바꾼 그는 자기를 괴롭히는 수사에게 건초 갈퀴를 휘둘러 앙갚음을 하려 하기도 하고, 설거지를 하다가 깬 접시 값을 보상하라는 수도원장에게 덤벼들기도 합니다. 그러다가 마흔 살이 되던 어느 날 수염을 깎고 있는 그에게 수도원장이 "자네는 거만해. 언제쯤 겸손을 배울 것인가" 하고 비난하자 수도원장을 향해 면도칼을 휘두르며 "왼쪽 귀에서 오른쪽 귀까지 베어버리겠다"고 난동을 부리기도 합니다. 그러나 그는 곧 수도원장을 찾아가 무릎 꿇고 빌면서 "죄송합니다. 그리고 부끄럽습니다. 저의 기질, 저의 오만, 격렬한 피가 저를 망치고 말았습니다" 하고 용서를 빕니다. 그는 거칠고 교만한 성격을 주신 하느님이야말로 앙갚음을 하고 복수를 해야 할 최고의 대상임을 깨닫고 하느님을 향해 앙갚음을 할 결심을 합니다.

요아킴 수사는 "이제야말로 하느님께 앙갚음을 해주겠다"고 결심하고는 "내 주 예수여. 저는 당신을 십자가에 못 박았습니다. 이제는 당신 차례입니다. 이제는 당신이 저를 십자가에 매달아주십시오" 하고 기도합니다.

그리하여 카우보이 존 그린 한닝은 1908년 4월 30일 이 세상에서 가장 겸손하고 가장 온순한 성인이 되어 이 세상을 떠났습니다.

주님은 말씀하셨습니다.

"하늘나라는 어떤 사람이 밭에 좋은 씨를 뿌린 것에 비길 수 있다. 사람들이 잠을 자고 있는 동안에 원수가 와서 밀밭에 가라지를 뿌리고 갔다."

우리들의 마음은 하느님이 주신 밭입니다. 이 밭에 하느님께서는 겸손과 절제와 온유와 인내의 좋은 씨앗을 뿌리셨습니다. 그러나 우리들의 원수인 악마는 우리들이 모르는 사이에 마음의 밭에 탐욕과 분노, 어리석음과 교만, 방탕과 이기주의의 나쁜 씨앗을 뿌렸습니다. 그러므로 하느님이 가꾸시는 우리들 마음의 밭은 좋은 씨와 나쁜 가라지의 잡초들이 뒤엉켜 자라는 황폐한 정원으로 바뀌었습니다.

우리들의 마음이 하느님이 만드신 에덴 동산으로 변하기 위해서는 끊임없이 자라는 마음속의 잡초를 뽑아내지 않으면 안 될 것입니다.

불같은 격렬한 성격의 존 그린 한닝이 온순하고 겸손한 메리 요아킴 성인으로 변할 수 있었던 것은 자신에게 그런 거친 성격을 허락하신 하느님에게 앙갚음을 하고 말리라는 정열로써 끊임없이 자신의 마음속에 자라는 잡초를 뽑아내고 솎아냈기 때문인 것입니다.

하느님이야말로 반드시 앙갚음을 해야 할 최고의 상대입니다.

하느님, 저도 존 그린 한닝처럼 반드시 당신에게 앙갚음을 하여 보일 것입니다. 두고 보십시오.

마태 13:24-43

가짜 목걸이

하늘나라는 어떤 장사꾼이 좋은 진주를 찾아다니는 것에 비길 수 있다.
그는 값진 진주를 하나 발견하면 돌아가서 있는 것을 다 팔아 그것을 산다.

모파상[1850~1893]은 프랑스 노르망디에서 태어난 소설가입니다. 열두 살 때 부모가 별거하자 어머니 밑에서 문학적 감화를 받고 자랐으며 청년 시절에는 플로베르에게 지도를 받아 작가로 성장하였습니다.

서른 살 되던 해 처녀작 「비곗덩어리」로 주목을 받았으며, 그의 장편소설 『여자의 일생』은 플로베르의 『보바리 부인』과 함께 사실주의 문학의 걸작으로 평가받고 있습니다. 그러나 신경질환으로 고통받던 그는 자살을 기도, 정신병원에서 마흔세 살의 한창 나이로 어두운 일생을 마친 천재 작가였습니다.

그가 남긴 작품 중에서 「목걸이」는 전세계적으로 가장 유명한 단편소설일 것입니다.

마틸드는 호화로운 생활을 꿈꾸며 사는 여자였습니다. 그러나 그녀의 남편은 말단 직원. 어느 날 두 사람은 장관이 주최하는 파티에 초대됩니다. 남편은 아껴두었던 돈으로 옷을 사줍니다. 그러나 마틸드는 옷에 장식할 보석 하나 없이 파티에 참석할 수는 없다며 친구인 프레스체 부인에게 값비싼 목걸이(원 작품에는 다이아몬드 목걸이)를 빌립니다. 파티에 참석한 부인은 누구보다 아름다웠습니다. 남자들은 누구나 마틸드와 춤을 추고 싶어 안달이었습니다. 새벽녘에 파티가 끝나고 집으로 돌아왔을 때 마틸드는 자신의 목에서 목걸이가 없어진 것을 발견하게 됩니다. 어쩔 수 없이 그들 부부는 전 재산을 처분하고 모자라는 돈은 빚을 얻어 빌렸던 목걸이와 똑같은 물건을 사서 프레스체 부인에게 돌려줄 수밖에 없었습니다. 그러고 나서 두 사람은 빚을 갚기 위해 십 년이나 고생하게 됩니다. 더러운 곳에서 먹을 것도 못 먹고 빨래 일을 하면서 고생을 하는 동안 마틸드의 그 아름답던 얼굴은 비참하게 변했으며, 머리카락은 반백이 되었습니다. 마침내 빚을 다 갚았을 무렵 우연히 프레스체 부인을 만나게 되자 다소 자랑스레 그간 있었던 일을 고백하게 됩니다. 얘기를 다 들은 프레스체 부인은 이렇게 말합니다.

"내가 빌려준 그 목걸이 값을 갚느라 십 년이나 고생을 했단 말이에요? 이를 어째, 마틸드. 그 목걸이는 싸구려 가짜였어요."

주님은 하늘나라의 신비를 가르쳐주기 위해 갖은 노력을 다하십니다. 주님은 '씨 뿌리는 사람'의 비유를 통해 하늘나라를 설명하시는 것을 시작으로, 가라지, 겨자씨, 누룩 등 주위에서 흔히 볼 수 있는 소재로 비유하시다가 마침내 사람이면 누구나 갖고 싶어하는 보물, '진주'의 비유로서 하늘나라를 설명하십니다.

"하늘나라는 어떤 장사꾼이 좋은 진주를 찾아다니는 것에 비할 수 있다. 그는 값진 진주를 하나 발견하면 있는 것을 다 팔아 그것을 산다."

우리들의 인생이란 주님의 말씀처럼 좋은 진주 하나를 찾아다니는 것에 비유할 수 있을 것입니다. 그러나 우리들이 찾아다니는 진주들은 대부분 모파상의 소설처럼 가짜인 것입니다. 그 진주는 가짜이므로 오히려 진짜보다 더 화려하며 하룻밤의 무도회에서는 샹들리에 불빛 아래서 눈부시게 반짝일 것입니다. 가짜 목걸이에 몰려드는 인기와 갈채야말로 우리들을 황홀하게 만들 것입니다. 그러나 그것은 단 하룻밤에 지나지 않습니다. 우리는 가짜 목걸이에 취해서 아까운 인생을 허비하며 가짜 인생을 살아가고 있는 것입니다. 주님의 말씀은 진짜 진주목걸이입니다. 주님의 진주목걸이야말로 내가 갖고 있는 것을 모두 팔아 그것을 살 만큼 충분한 가치가 있는 천상의 보물인 것입니다.

마태 13:44-52

만남과 나눔

여기는 외딴곳이고 시간도 이미 늦었습니다.

사람들이 자주 부르는 가요 가운데 〈만남〉이라는 노래가 있
습니다.

우리 만남은 우연이 아니야
그것은 우리의 바람이었어
잊기엔 너무한 나의 운명이었기에
바랄 수는 없지만 영원을 태우리
돌아보지 마라, 후회하지 마라
아, 바보 같은 눈물 보이지 마라
사랑해 사랑해 너를, 너를 사랑해

가사의 내용이 다소 애매하지만 어쨌든 너와 나의 만남이 일시적인 우연이 아니라 영원히 함께하기를 바라는 사랑을 노래하고 있기에 이 노래가 사람들에게 인기가 있는 것 같습니다.

주님이 '빵 다섯 개와 물고기 두 마리'로 5천 명을 배불리 먹이고도 열두 광주리를 채울 정도로 음식을 남겼다는 이야기는 주님이 베푸신 기적 중에 '나눔'의 상징으로 잘 알려진 대표적인 기적입니다.

따라서 모든 그리스도인들이 자기가 가진 재물을 주님처럼 나눌 수만 있다면 모든 사람들이 더불어 함께 잘살 수 있다는 예화로 이 성경 구절은 가장 많이 인용되고 있습니다.

물론 주님은 이 기적을 통해 '나눔'의 교훈을 우리에게 가르쳐 주고 계십니다. 그러나 주의 깊게 살펴보면 주님께서 '나눔'의 기적을 말씀하시기에 앞서 '만남'의 소중함을 더욱 더 강조하고 있다는 사실을 깨닫게 됩니다.

주님은 많은 군중들이 모이자 제자들에게 먹을 것을 주라고 이르십니다. 그러자 제자들은 그것이 불가능하다고 변명합니다.

"여기는 외딴곳이고 시간도 이미 늦었습니다. 그리고 우리가 가진 것은 빵 다섯 개와 물고기 두 마리뿐입니다."

제자들의 대답은 '나눌 수 없는 이유'의 보편적인 세 가지 변명입니다. 그것은 '외딴곳'이라는 공간적 변명과 '시간이 늦었다'는 시간적 변명과 '빵 다섯 개와 물고기 두 마리뿐'이라는 소유적 변명입니다.

제자들의 이러한 변명은 오늘날 도움을 필요로 하는 이웃에게 그것이 불가능함을 변명하는 우리들의 입에서도 똑같이 흘러나오고 있습니다.

"난 시간이 없어" "우린 너무 멀리 떨어져 있구나" "나누기에는 내가 가진 것이 너무 없어."

주님이 "너희가 먹을 것을 주어라"라고 말씀하신 것은 이런 시간적, 공간적, 소유적 변명에 대한 준엄한 꾸짖음인 것입니다.

주님은 '나눔'의 사랑을 실행하기 위해서는 무엇보다 '만남'의 절대성이 앞서야 한다는 것을 깨우치고 계신 것입니다. 주님은 5천 명의 군중을 하나의 군중으로만 보지 않으셨습니다. 주님은 그 한 사람 한 사람의 고통을 '측은한 마음'으로 보셨으며 그들과의 만남을 절대적인 만남으로 생각하셨던 것입니다.

사랑은 나눔입니다.

그러나 그 나눔이 참사랑으로 승화되기 위해서는 '나눔'의 행위보다 먼저 '만남'의 행위에 더 운명적인 가치를 두어야 합니다.

주님은 우리를 만나셨습니다. 우리가 주님을 만난 것이 아니라 주님이 우리를 만나셨습니다. 주님에게 있어 너와 나는 둘이 아니라 하나인 것입니다. 또한 나와 주님은 둘이 아니라 하나인 것입

니다. 주님께서 나보다 더 나를 사랑하시는 것은 주님과의 만남이
노래 가사처럼 '우연'이 아니라 '운명'이기 때문입니다. 감히 바랄
수는 없지만 주님과 나는 함께 영원을 태우는 존재인 것입니다.
그러므로, '너를 사랑해'라는 노랫말은 지금 이 순간 주님께서 우
리에게 하시는 사랑의 고백인 것입니다.

마태 14:13 - 21

사랑의 힘

새벽 네시쯤 되어 예수께서 물 위를 걸어서 제자들에게 오셨다.

이탈리아 아시시의 성 프란체스코[1182~1226]는 가톨릭 사상 가장 위대한 성인입니다. 단순하고 천진한 신앙, 자연에 대한 사랑과 겸손 등으로 '또 하나의 그리스도'라고 불리었습니다. 실제로, 그리스도의 십자가 상흔을 손 위에 받았던 이 성인이 노래하라고 말하면 새들도 노래하였다고 합니다.

클라라[1194~1253]는 프란체스코의 설교에 감동하여 가족들의 반대를 무릅쓰고 수녀가 된 성인입니다. 두 사람에 대한 다음과 같은 일화가 전해오고 있습니다.

두 사람은 서로 사랑하였습니다. 그러나 수도원 사람들은 이 두 사람의 영적인 사랑을 이해하지 못하고 말이 많았습니다. 결국 프란체스코는 클라라를 멀리 보내기로 결심하였습니다.

수도원 밖은 차가운 겨울바람이 불고 있었고, 떠나는 클라라를 배웅 나간 프란체스코는 말없이 눈에 덮여가는 길을 바라보고 있었습니다. 클라라는 작별인사를 하고 눈길을 가다가 갑자기 돌아서서 프란체스코에게 물었습니다.

"언제 우리가 또다시 만날 수 있을까요."

이제는 다시 만나기 힘들다는 것을 두 사람은 잘 알고 있었습니다. 프란체스코는 말없이 눈 쌓인 산꼭대기를 바라본 후 대답하였습니다.

"저 산의 눈이 녹고 꽃이 필 때쯤이면 다시 만날 수 있겠지요."

그 말이 끝나자마자 갑자기 눈이 녹고 산마다 꽃이 피었습니다.

조용히 기도하러 산에 올라가셨다가 풍랑에 시달리고 있는 제자들에게 물 위를 걸어오시는 기적을 보여주신 주님은 많은 것을 생각하게 합니다.

주님은 자신을 위해서는 단 한 번의 기적도 행하지 않으셨습니다. 그 많은 환자를 고쳐주고 귀신을 몰아내고 심지어는 죽은 사람까지 살린 주님이셨지만 자신이 직접 기적의 주체가 되었던 적은 없습니다. 한밤중 역풍을 만난 풍랑으로 파도가 치고 있는 호수 위를 걸어오시는 예수의 모습은 그러므로 매우 이례적인 것입니다.

그렇다면 주님은 왜 물 위를 걸어오셨을까요. 제자들에게 자신의 초능력을 보여주기 위함이셨을까요? 아닙니다. 주님은 풍랑에 시달리고 있는 제자들을 안심시키기 위해서 달려오신 것뿐입니다. 새벽 네시였으므로 배도 없었으며 제자들에게 건너갈 다른 방도가 없었던 것입니다. 제자들이 탄 배로 갈 수 있는 유일한 방법은 물 위를 걷는 기적뿐이었습니다.

클라라를 사랑하는 프란체스코의 마음이 한순간에 눈 덮인 산꼭대기에서 눈이 녹게 하고 꽃을 피우는 기적을 일으킨 것처럼 제자를 사랑하는 주님의 마음이 물 위를 걷는 기적을 일으킨 것입니다.

그렇습니다. 주님이 물 위를 걸으셨던 기적의 힘은 바로 사랑의 힘이었던 것입니다.

주님을 닮고 싶어했던 베드로가 물에 빠졌던 것은 믿음이 약해서라기보다는 '사랑의 힘'이 부족해서일 것입니다. 주님은 제자들을 사랑하셔서 빨리 가고 싶은 마음에 물 위를 땅 위처럼 생각하시고 단숨에 달려가셨지만 베드로는 주님을 사랑하기보다는 자신을 뽐내기 위해서 물 위를 밟는 기적을 흉내내다 물에 빠진 것입니다.

믿음은 사랑입니다.

사랑하십시오. 제자를 사랑하여 물 위를 달려오는 주님처럼 사랑하고, 사랑하고, 또 사랑하십시오. 그리하면 눈 덮인 산봉우리에서 갑자기 눈이 녹고 단숨에 꽃들은 피어나 그대와 나는 헤어지

는 일 없이 주님의 사랑 안에서 영원히 함께 살아갈 수 있을 것입
니다.

마태 14:22-33

무지개

내 영혼이 주님을 찬양하며
내 구세주 하느님을 생각하는 기쁨에 이 마음 설레입니다.

워즈워스[1770~1850]는 영국의 잉글랜드 지방에서 태어났습니다. 그는 여덟 살 때 어머니를, 열세 살 때 아버지를 여의고 외삼촌의 보호 아래 성장하였습니다. 그는 프랑스혁명에서 깊은 감명을 받았고, 다섯 살 연상의 여인을 만나 딸을 낳기도 하는, 방황하는 젊은 시절을 보냈습니다.

스물여덟 살 무렵 시인 콜리지와 『서정민요집』을 출간한 그는 '낭만주의 문학 선언'이라고 불리는 유명한 서문에서 '시골 사람들의 감정만이 진실한 것이며 그들이 사용하는 소박하고 친근한 언어만이 가장 알맞은 시어'라고 발표함으로써 18세기식 기교적인 언어를 배척하고 있습니다.

시인으로서의 명성은 점점 더 커져 마침내 계관시인이 되었으며 특히 자연에 대한 미적 관심은 유럽 문화에 큰 영향을 미쳐 19세기가 낳은 대표적인 낭만파 시인으로 손꼽히고 있습니다. 주옥 같은 명시들을 많이 노래한 워즈워스의 작품들 중에서도 가장 유명한 시는 「무지개」입니다.

> 하늘에 걸린 무지개를 바라볼 때면 내 가슴은 설레인다.
> 나 어렸을 때도 그러하였고
> 어른이 된 지금도 그러하거니
> 나 늙어진 다음에도 제발 그러하여라.
> 그렇지 않다면 나는 죽어버리리.
> 어린이는 어른의 아버지
> 바라옵나니 내 목숨의 하루하루여
> 천상의 자비로 맺어지거라.

무지개를 바라볼 때면 가슴이 설레었던 어린 시절의 감동이 만약 나이가 든 후에는 사라져 감동할 줄 모르는 무의미한 인생을 살게 된다면 차라리 죽는 편이 좋으며, 인생의 하루하루를 어린아이와 같은 순수한 동심으로 살 수 있음이야말로 '천상의 자비'라고 워즈워스는 노래하고 있는 것입니다.

주님을 찬양한 〈마리아의 노래〉를 흔히 '마니피캇'이라고 합니다. 그것은 〈마리아의 노래〉 맨 앞부분이 "내 영혼이 주님을 찬양하며"로 시작되는데 '찬양하다'가 라틴어로 '마니피캇Magnificat'이므로 그렇게 불리는 것입니다.

원래 이 노래는 마리아가 읊은 것이 아니라 그 당시 유행하던 노래라는 것이 정설로 되어 있습니다. 구약에 나오는, 오랜 기도 끝에 '사무엘'을 얻은 어머니 한나의 노래 "내 마음은 야훼님 생각으로 울렁거립니다"(1사무 2:1)를 본떠 만든 이 노래가 누가, 언제 지었느냐는 중요한 것이 아닙니다.

하느님을 찬양하는 기쁨과 자신을 선택해주신 하느님에 대한 고마움, 가난하고 힘없는 사람들에 대한 하느님의 보살핌을 찬양한 이 〈마리아의 노래〉야말로 하느님을 믿는 바로 우리들의 노래이기 때문입니다.

워즈워스가 "하늘에 걸린 무지개를 바라볼 때면 내 가슴은 설레인다"고 노래하였듯이 마리아는 "내 영혼이 주님을 찬양하며 내 구세주 하느님을 생각하는 기쁨에 이 마음 설레인다"고 노래하고 있습니다. 워즈워스가 노래한 '하늘에 걸린 무지개'야말로 '하늘에 계신 우리 아버지 하느님'이신 것입니다.

하느님을 생각하면 가슴이 설레며 그것은 내가 어렸을 때도 그러하였고 지금도 그러합니다. 나 늙어진 다음에도 그러할 것입니다. '바라옵나니, 내 목숨의 하루하루여, 천상의 자비로 우리를 채

워주소서.'

어린아이야말로 모든 어른의 아버지, 하늘나라는 이 어린아이 같
은 사람들의 것입니다.(마태 19:14)

루가 1:39-56

너희는 나를 누구라고 생각하느냐

선생님은 살아 계신 하느님의 아들 그리스도이십니다.

앤소니 드 멜로[1931~1987]는 인도 뭄바이에서 태어난 예수회 신부입니다. 그는 평생토록 피정을 지도하고 영성지도자 양성으로 헌신하였으며 인도의 로나블라에 위치한 '사다나 사목연구소'의 소장을 지냈습니다. 그는 또한 가톨릭을 비롯하여 여러 종교의 영성들을 모은 짧은 지혜의 책을 저술하여 전세계적으로 큰 인기를 끌었던 저술가로도 유명하였습니다. 우리나라에서도 큰 인기를 끈 『종교박람회』라는 책 속에는 다음과 같은 구절이 나옵니다.

복음서 속의 대화

예수: 그러면 너희는 나를 누구라고 생각하느냐?

시몬 베드로: 선생님은 살아 계신 하느님의 아들 그리스도이

십니다.

예수: 요한의 아들 시몬아, 너는 정녕 복되구나. 너에게 그것을 알려주신 분은 사람이 아니라 하늘에 계신 아버지이시다.

오늘날의 대화

예수: 그러면 너희는 나를 누구라고 생각하느냐?

그리스도인: 선생님은 살아 계신 하느님의 아들 그리스도이십니다.

예수: 훌륭하고 옳은 대답이다. 그러나 너는 불행하구나. 너는 그것을 사람에게서 배웠고, 하늘에 계신 아버지께서 너희에게 그것을 가르쳐준 것은 아니다.

멜로 신부가 쓴 이 짧막한 단상은 생각하면 할수록 깊은 의미를 갖고 있습니다.

주님은 베드로에게 아무런 말씀도 하지 않으시고 불쑥 질문부터 던지십니다. 베드로는 당황하였습니다. 베드로에게는 그 대답을 가르쳐줄 친구도 사람도 없었던 것입니다. 아무도 알려주는 사람이 없었으므로 베드로에게 하늘에 계신 아버지께서 정답을 가르쳐주신 것은 지극히 당연한 일이었을 것입니다.

주님은 지금 이 순간 우리에게 똑같은 질문을 던지고 계십니다.

"그러면 너희는 나를 누구라고 생각하느냐?"

그러나 우리들 그리스도인은 이제 베드로처럼 망설일 필요가 없습니다. 왜냐하면 우리들은 그 질문의 정답을 너무나 잘 알고 있기 때문입니다. 우리는 수능시험을 치르는 수험생처럼 그 정답을 외우고 있기 때문에 서슴없이 다음과 같이 대답할 수 있을 것입니다.

"선생님은 살아 계신 하느님의 아들 그리스도이십니다."

물론 우리들의 대답은 베드로의 고백처럼 반석과 같은 진리입니다. 그러나 대답은 같아도 그 내용은 하늘과 땅의 차이가 있습니다.

베드로에게 그 답을 가르쳐준 분은 하늘에 계신 아버지이시지만 우리에게 그 답을 가르쳐준 분은 사람들이기 때문입니다. 우리들은 시험에 나올 예상문제들을 미리 예상하고 그 정답을 암기하는 그리스도학원의 수강생에 지나지 않습니다. 또한 우리들은 그리스도 그룹의 면접시험에서 나올 질문들을 예상하고 모범적인 대답을 미리 준비해놓고 있는 신입 신앙인에 지나지 않습니다.

멜로 신부는 다음과 같이 결론을 내리고 있습니다.

"누군가가 우리를 대신해서 미리 대답을 다 해주는 바람에 하늘에 계시는 우리 아버지께서는 그것을 가르쳐주실 겨를이 없는 것이다."

오늘날 우리들 신앙의 위기는 하느님의 말씀을 듣기보다 우리

를 대신해서 미리 대답을 주는 사람들의 말에 귀를 기울이는 데서
비롯되는 것입니다.

마태 16:13-20

주님을 위로할 수 있는 단 하나의 말

너는 하느님의 일을 생각하지 않고 사람의 일만을 생각하는구나!

복음서의 대화

예수: 제자들아, 나는 이번에 예루살렘으로 올라가 반드시 원로들과 대사제들과 율법학자들에게 많은 고난을 받고 그들의 손에 죽었다가 사흘 만에 다시 살아나게 될 것이다.

시몬 베드로: 주님, 안 됩니다. 결코 그런 일이 있어서는 안 됩니다.

예수: 사탄아, 물러가라. 너는 나에게 장애물이다. 너는 하느님의 일을 생각하지 않고 사람의 일만을 생각하는구나!

오늘날의 대화

예수: 제자들아, 나는 이번에 예루살렘으로 올라가 반드시 원로

들과 대사제들과 율법학자들에게 많은 고난을 받고 그들의 손에 죽었다가 사흘 만에 다시 살아나게 될 것이다.

그리스도인: 주님, 슬프지만 그것은 주님의 운명입니다. 어서 그렇게 하십시오. 주님은 이 세상을 구원하러 오셨고, 구원하는 방법은 우리를 대신하여 주님께서 많은 고난을 받고 그들의 손에 죽는 일입니다. 그리고 사흘 만에 반드시 살아나십시오. 주님께서 죽음에서 일어나 다시 부활하셔야만 주님은 우리의 그리스도가 되실 수 있으실 것입니다.

예수: 이 뱀 같은 자들아, 독사의 족속들아, 너희가 지옥의 형벌을 어떻게 피하랴.(마태 23:33) 너희는 나에게 있어 원수다. 너 또한 하느님의 일을 생각하지 않고 사람의 일만 생각하고 있구나.

그리스도인: 주님, 저희가 무엇을 잘못하였단 말입니까. 주님께서 그들의 손에 의해 십자가에 못 박혀 돌아가셨다가 사흘 만에 다시 살아나셔야만 우리들이 구원을 받는 것은 기독교의 진리가 아닙니까.

예수: 너희들을 위해서 내가 언제까지 십자가에 못 박혀 죽어야만 한단 말이냐. 나는 이천 년 동안 단 하루도 빼놓지 않고 계속 너희들을 위해서 십자가에 매달린 채 아직도 손과 발에 못이 박히고 피를 흘리고 있단다. 이젠 정말 십자가라면 신물이 난다. 난 이제 십자가에서 벗어나고 싶다.

그리스도인: 주님께서 십자가에서 벗어나고 싶다면 우리더러 어떻게 하란 말씀이십니까. 주님께서 길 잃은 어린 양들을 버리시고 스스로 그리스도이기를 포기하시겠단 말씀이십니까.

예수: 너희들의 말은 정답이다. 그러나 그 정답을 가르쳐주신 분은 하늘에 계신 아버지가 아니라 예루살렘에 살고 있는 원로들과 대사제들과 율법학자임을 어찌하여 너희들은 모르고 있느냐. 이제 난 지쳤다. 이젠 나 대신 너희들이 자기를 버리고 십자가를 지고 따라야 할 때인 것이다. 이제야말로 나 대신 너희들이 십자가에 못 박혀 죽었다가 사흘 만에 부활할 때인 것이다. 이젠 더 이상 나더러 십자가에 못 박혀 죽으란 말은 하지 말아라. 내가 너희들에게 듣고 싶은 말은 오직 한 가지뿐이다.

그리스도인: 주님께서 듣고 싶은 한마디의 말씀은 무엇입니까.

예수: 너희들이 알면 그것을 말해주겠느냐.

그리스도인: 물론입니다.

예수: 그러면 제발 말해다오. 그러면 내가 위로받을 것이다. 시몬 베드로처럼 '주님, 십자가에 못 박혀서는 안 됩니다. 결코 그런 일이 있어서는 안 됩니다'라고 말이다.

마태 16:21-27

분노의 포도

당신들도 내 포도원에 가서 일하시오.

1940년 퓰리처상 수상작인 『분노의 포도』는 미국 작가 스타인 백[1902~1968]의 대표작입니다. 이 소설은 오클라호마의 농민 가족 조드 일가가 모래폭풍과 대자본에 의한 기계화로 경작지를 잃고, 낡은 자동차에 가재도구를 싣고 온 가족이 캘리포니아의 비옥한 포도 원을 향해 출발하는 데서부터 시작됩니다. 구약성서에 나오는 「출애굽기」의 형식을 빌려 묘사한 이 서사시적 작품은, 그러나 그들 이 꿈꾸던 자유의 땅에서 기다리고 있던 것은 착취와 기아와 질병 이라는 점에서 젖과 꿀이 흐르는 가나안 땅과는 대비가 됩니다. 노동력의 과잉으로 농장주들이 마음대로 임금을 깎아, 온 가족을 총동원해서 일을 해도 입에 풀칠하기 힘들 정도였습니다. 결국 아 들 톰은 파업에 가담해서 살인을 저지르고 가족들은 뿔뿔이 흩어지고 죽어갑니다.

그나마 품삯일마저 바닥이 나고 설상가상으로 홍수까지 겹쳐 그들의 가슴에는 '분노의 포도'만이 주렁주렁 열린다는 것이 이 소설의 주제입니다.

이 소설의 마지막 장면은 특히 인상적인데 굶주림과 과로 때문에 아이를 사산한 딸을 부축하고 어머니는 오막살이로 비를 피해 들어갑니다. 그러나 그곳에는 더 비참한 소년과 아버지가 있었습니다. 소년의 아버지는 훔쳐온 빵조차 토해낼 정도로 기진해 있었습니다. 모든 사람들을 다 밖으로 내보내고 딸은 죽어가는 소년의 아버지에게 자신의 젖을 물려주는 것으로 소설은 끝이 납니다.

"'먹어야 해요' 하고 그녀는 말했다. 그녀는 더 가까이 다가가서 남자의 머리를 안아들고 젖을 물려주었다. '자' 하고 그녀가 말했다. 그녀의 손이 가만가만 그의 머리를 쓰다듬고 있었다. 그녀는 눈을 들어 창고 너머를 바라보았고 입을 꼭 다물면서 신비스러운 미소를 머금었다."

주님은 하늘나라를 포도원에 비유하면서 아침부터 온 일꾼이나 나중에 온 일꾼이나 똑같이 한 데라리온씩 주는 포도원 주인인 하느님을 통해 이렇게 말씀하고 계십니다.

"나는 이 마지막 사람에게도 당신에게 준 만큼의 삯을 주기로 한 것이오. 내 것을 내 마음대로 처리하는 것이 잘못이란 말이오?"

주님의 나라에는 먼저 온 사람도 나중에 온 사람도 없습니다. 하늘나라에는 모든 사람이 평등할 뿐입니다. 그러나 우리들이 사는 이 지상의 포도밭은 수단과 방법을 가리지 않고 남보다 조금이라도 먼저 포도원에 도착하여야만 첫째가 될 수 있습니다. 첫째가 되어야만 우리는 더 많은 권력과 더 많은 물질을 소유할 수 있을 것입니다. 먼저 온 사람들은 보다 많이 소유함으로써 늦게 온 사람들을 멸시하고 착취합니다. 먼저 온 사람들은 보다 많은 것을 소유함으로써 기득권을 유지하려 하며, 늦게 온 사람들은 좀처럼 가난과 질병에서 벗어나지 못함으로써 지상 위의 포도밭은 스타인벡의 소설처럼 '분노의 포도' 만이 주렁주렁 열리고 있을 뿐인 것입니다.

그러나 하늘나라의 포도밭에는 첫째도, 먼저 온 사람도 아무런 소용이 없습니다. 첫째도 결국 나중에 온 사람과 똑같은 인간일 뿐인 것입니다.

하늘나라의 포도원에서는 먼저 온 '난사람' 이 첫째가 아닙니다. 그곳은 먼저 온 '난사람' 보다 꼴찌였던 '된사람' 이 오히려 첫째가 될 수 있는 곳입니다. 하늘나라의 포도원에 '분노의 포도' 가 아닌 '평화의 포도' 가 주렁주렁 열리는 이유는 바로 이러한 주님의 평등사상 때문일 것입니다.

마태 20:1-15

이방인

그들이 교회의 말조차 듣지 않거든 그를 이방인이나 세리처럼 여겨라.

카뮈[1913~1960]는 알제리에서 태어난 소설가이자 극작가입니다. 그는 생후 얼마 안 되어 제1차 세계대전으로 아버지를 잃고 귀머거리인 어머니 손에 빈곤 속에서 성장하였습니다.

1942년 7월 독일의 점령하에 있었던 시절, 스물아홉 살의 청년 카뮈는 『이방인』을 발표함으로써 문단의 총아가 되었습니다. 인간 존재에 대한 부조리성을 통렬히 비판한 그는 『이방인』을 통해 실존주의 문학의 거두가 되었으며, 1957년에는 노벨문학상을 받고 얼마 되지 않아 자동차 사고로 죽은 20세기의 훌륭한 작가 중 한 사람입니다.

특히 "오늘 엄마가 죽었다. 아니 어쩌면 어제"로 시작되는 『이방인』은 어머니의 죽음 앞에서도 무감각한 청년이 장례식 다음날 여인과 정사를 하며 햇볕이 눈부셔서 아랍 청년을 살해하고, 두려움 없이 사형집행을 기다리는, 이방인의 부조리와 절망 그리고 인간 실존의 본질을 날카롭게 파헤친 20세기 최고의 걸작입니다.

소설 제목 '이방인'은 성경에서 비롯된 용어입니다. '이방인'이란 말은 '다른 나라에 살고 있는 사람'을 뜻하지만 원래 유태인의 세계관에서 나온 말로, 하느님이 유다민족을 특별히 선택하여 선민으로 내세웠다는 사상에 입각하여 유다인이 아닌 이들을 '이방인'이라고 불렀습니다.

주님도 이방인이란 말을 자주 사용하셨습니다.

"너희가 자기 형제들에게만 인사를 한다면 남보다 나을 것이 무엇이냐. 이방인들도 그만큼은 하지 않느냐."(마태 5:47), "너희는 기도할 때에 이방인들처럼 빈말을 되풀이하지 마라."(마태 6:7), "그러므로 무엇을 먹을까, 무엇을 마실까 걱정하지 마라. 이런 것들은 모두 이방인들이 찾는 것이다."(마태 6:31-32), "그들이 교회의 말조차 듣지 않거든 그를 이방인이나 세리처럼 여겨라."(마태 18:17)

여기서 주님이 사용하신 '이방인'은 유다인들처럼 유다인이 아닌 이들을 지칭하여 말씀하신 것이 아니라 하늘에 계신 하느님을 믿지 않는 비그리스도인을 가리키는 용어임을 깨닫게 됩니다.

베드로가 무아지경 속에서 "베드로야, 어서 잡아먹어라"라는 신비한 주님의 음성을 들은 것이나(사도 10:13), 바울로가 주님으로부터 부르심을 받은 것은 "나는 너를 이방인의 빛으로 삼았으니 너는 땅끝까지 구원의 등불이 되어라"(사도 13:47)라는 명령을 따르기 위함이었습니다.

제2차 세계대전의 참화 중에서 인간의 부조리를 파헤친 카뮈의 『이방인』은 무신론적 실존주의를 주제로 삼고 있습니다. 20세기의 비극은 이처럼 무신론적 허무주의와 유신론적 물질주의의 대립에서 비롯되었습니다. 무신론적 허무주의는 공산주의의 몰락과 더불어 사라진 듯싶지만 카뮈의 『이방인』에서 보듯 인간으로서의 존엄성 부재, 절망, 쾌락의 탐닉, 가치관의 혼돈, 밑도 끝도 없는 폭력과 광기는 오히려 한층 심화되고 있습니다.

그리스도를 믿는 우리들은 비록 유다인은 아니지만 더 이상 이방인은 아닌 것입니다. 그러나 진실로 우리가 이방인이 되지 않기 위해서는 우리들이 단 두세 사람이라도 모인 가정이야말로 주님의 이름으로 모인 교회임을 깨닫고 함께 기도하여야 할 것입니다.

예수 그리스도는 21세기를 사는 모든 인류의 단 하나의 희망인 것입니다.

마태 18:15-20

용서의 전문가

일곱 번뿐 아니라 일곱 번씩 일흔 번이라도 용서하여라.

중세기 이탈리아의 화가 페루기노[1450~1523]는 독실한 가톨릭 신자였습니다만 평소 고백성사에 대해서는 많은 회의를 가지고 있었습니다. 그래서 그는 벌을 받을까 겁이 나서 고백성사를 보고자 하는 생각이 드는 경우에는 아예 성사를 보지 않겠다고 결심하였습니다. 왜냐하면 다만 벌을 받을까봐 하는 고백성사는 하느님의 징벌을 막아주는 보증서로 전락되어 하느님의 자비보다는 사제의 사죄를 더 신뢰하게 될 위험성이 있었기 때문이었습니다.

그러다가 마침내 임종을 맞게 되었습니다. 이때 그의 부인이 고백성사를 보지 않고 죽는 것이 두렵지 않느냐고 물었습니다. 이때 페루기노는 다음과 같이 대답하였습니다.

"여보, 난 평생 동안 그림을 그리는 화가였소. 내 전문은 그림을 그리는 일이었고 화가로서 제법 뛰어났다고 자부하오. 하느님의 전문은 용서하시는 일인데 그 하느님께서 내가 화가로서의 일을 잘해왔듯이 당신의 일을 잘하신다면 내가 두려워할 까닭이 없지 않겠소."

베드로가 "주님, 형제의 잘못을 일곱 번 용서해주면 되겠습니까" 라고 물었을 때 주님께서 "일곱 번뿐 아니라 일곱 번씩 일흔 번이라도 용서하여라"라고 말씀하신 것은 깊은 의미를 내포하고 있습니다. 주님께서 그렇게 말씀하셨다고 해서 그 말씀을 '7×70=490', 그러니까 490번 용서해야 된다는 뜻으로 받아들일 사람은 아무도 없을 것입니다.

주님이 그렇게 말씀하신 것은 이웃의 잘못을 무한대로 용서하라는 뜻을 담고 있는 것입니다. 그러나 그것이 가능한 일일까요? 주님께서 친히 가르쳐주신 기도문에도 "우리에게 잘못한 이를 용서하듯이 우리의 잘못을 용서하시고"(마태 6:12)라는 구절이 있습니다만 우리에게 잘못한 형제를 무한정 용서하라는 말이 정말 가능한 일일까요? 그것은 아마도 불가능한 일일 것입니다. 그러므로 주님은 '너희가 남을 용서할 수는 없다'는 진리를 가르치기 위해서 그렇게 말씀하신 것 같습니다.

내가 남을 용서한다는 것은 사랑의 행위인 것 같지만 실은 교만인 것입니다. 내가 어떻게 남을 용서할 수가 있겠습니까. 내가 남을 단죄할 수 없듯이 내가 남을 용서할 수는 없는 것입니다.

인간은 누구나 하느님 앞에 있어서는 이미 '용서받은 자'들인 것입니다. 그러므로 우리의 용서는 '내가 너를 용서하는 것'이 아니라 '하느님으로부터 이미 용서받은 너를 인정'하는 것입니다. 내가 너를 용서한다면 베드로처럼 일곱 번도 용서할 수 없겠지만 그 형제가 이미 하느님으로부터 용서받은 존재임을 인정한다면 우리는 수만 번이라도 너를 용서할 수 있을 것입니다. 주님께서는 친히 우리에게 용서의 모범을 보여주고 계십니다. 주님께서는 죄도 없이 십자가에 못 박혀 돌아가실 때 "나는 너희를 용서한다"고 말씀하시지 않고 "아버지, 저 사람들을 용서하여주십시오. 그들은 자기가 하는 일을 모르고 있습니다"(루가 23:34)라고 말씀하심으로써 용서야말로 하느님이 하실 수 있는 일임을 분명히 가르치고 계신 것입니다. 하느님은 화가 페루기노의 말처럼 용서의 전문가입니다. 그러므로 우리의 기도문은 이렇게 바뀌어야 될 것입니다.

"하늘에 계신 우리 아버지, 오늘 저희에게 일용할 양식을 주시고 저희에게 잘못한 이웃이 이미 아버지로부터 용서받았으니 저희도 아버지의 용서를 배우게 하시고 저희를 유혹에 빠지지 않게 하시고 악에서 구하소서. 아멘."

마태 18:21-35

자, 일어나 가자

나를 따르려는 사람은 누구든지 자기를 버리고
매일 제 십자가를 지고 따라야 한다.

간디[1869~1948]는 인도의 민족지도자이자 사상가로 20세기가 낳은
위대한 인물입니다. 인도의 문호 타고르로부터 '마하트마' 즉, 위
대한 영혼으로 칭송을 받은 그는 열여덟 살 때 영국으로 유학을
가서 법률을 배웠고, 변호사로 남아프리카공화국에 건너가 그곳
에 사는 차별받는 인도 사람들을 보고 '아힘사' 즉, 비폭력을 중심
으로 하는 간디주의를 형성하여 투쟁을 벌이게 됩니다. 이 투쟁으
로 세계적인 인물로 알려진 그는 귀국하여 인도를 식민지로 삼고
있는 영국과 계속 투쟁을 해나갑니다.

61세의 간디가 자신을 지지하는 추종자들과 서해안의 먼 바닷
가로 '소금의 대행진'을 주도했던 것은 비폭력, 무저항주의의 극
치였으며, 마침내 제2차 세계대전이 끝나고 1947년 7월 인도가

영국으로부터 분할독립이 되자 그는 78세의 고령임에도 힌두교도와 이슬람교도의 융화를 위해 애쓰다가 반이슬람 극우파 청년의 총탄에 쓰러졌습니다.

그는 생전에 국가가 망하는 일곱 가지 조건을 말하였습니다.

"이럴 때 국가는 희망이 없으며, 멸망의 길로 나아갈 것입니다. 첫째는 원칙 없는 정치이며, 둘째는 도덕 없는 상업이며, 셋째는 노동 없는 부*이며, 넷째는 인격 없는 교육이며, 다섯째는 인간성 없는 과학이며, 여섯째는 양심 없는 쾌락이며, 일곱째는 희생 없는 신앙인 것입니다."

간디의 이러한 말은 21세기를 맞는 우리들의 마음에 비수와 같은 충격을 던집니다. 과연 우리가 사는 이 시대는 원칙 없는 정치에 흔들리고 있으며, 돈만을 좇는 더러운 부정부패의 상업주의에 오염되고 있으며, 일확천금을 노리는 투기성 부에만 매달리고 있습니다. 교육은 학생들의 인격을 무시한 지 오래되었으며, 과학은 인간을 복제하는 데까지 이르렀고, 쾌락을 위해서는 중학생 어린 딸들까지 유혹하기에 이르렀습니다. 그러나 간디가 말한 그 마지막 조건은 오늘을 사는 우리가 한 번쯤 심각히 생각해야 할 조건인 것입니다. 바로 '희생이 없는 신앙'입니다.

주님은 말씀하셨습니다.

"나를 따르려는 사람은 누구나 자기를 버리고 매일 제 십자가를 지고 따라야 한다."

우리가 주님을 믿고 따른다면 십자가는 피할 수 없는 우리의 의무인 것입니다. 주님께서 십자가에 못 박혀 돌아가심으로써 그리스도로 완성될 수 있었듯이 그분을 따르는 우리들도 십자가를 짐으로써 그리스도인으로 완성될 수 있을 것입니다.

십자가 없는 예수는 그리스도가 아닙니다. 그러나 우리가 믿은 예수는 대부분 십자가가 없는 그리스도 이전의 예수에 지나지 않는 경우가 많이 있습니다.

성 김대건 안드레아를 비롯하여 정하상 바오로와 동료 순교자들은 주님을 위하여 목숨을 버린 성인들입니다. 그런 순교자들을 조상으로 모신 우리들이지만 우리들의 신앙 속에는 더 이상 십자가가 존재하지 않습니다. 주님께서 말씀하신 '자기를 버리는 매일의 십자가'야말로 '희생'인 것입니다. '희생'은 간디가 말하였던 것처럼 우리들 신앙에 반드시 있어야 할 필요조건인 것입니다.

그렇습니다. 주님을 믿는 우리들이 제 십자가를 지고 일어서야 할 때가 바로 지금인 것입니다. 자, 희생의 십자가를 지십시오. 그리고 앞장서 외치고 계신 주님의 목소리를 따라갑시다.

"자, 일어나 가자."(요한 14:31)

루가 9:23-26

창녀와 세리

세리와 창녀들이 너희보다 먼저 하느님의 나라에 들어가고 있다.

성 요한 크리소스토무스[349~407]는 뛰어난 설교가로 그의 이름은 '황금의 입[金口]'을 의미합니다. 그는 안티오키아에서 그리스도교, 특히 성서의 가르침을 설교하였고, 후에 콘스탄티노플의 총주교가 되었습니다. 교회의 도덕적 개혁에 노력하였는데, 반대자들의 박해를 받고 여행하던 중 피로와 열병으로 쓰러져 죽은 성인입니다. 그분은 생전에 이렇게 썼습니다.

"수많은 왕과 장군들 그리고 기념비가 기리고 있는 자들의 위대한 궁전들은 모두 말없이 묻혀버렸으며, 도시를 점령하고 성벽을 구축하고 전승탑을 세우며 많은 민족들을 노예로 삼았던 자들은 비록 석상을 세우고 법을 제정하였지만 이름조차 알려져 있지 않다. 그러나 창녀였으며 어떤 나병 환자의 집에서 기름을 부었던 여인은 전세계를 통해 모든 사람들이 기리고 있다."

크리소스토무스가 찬양하였던 창녀의 이름은 '마리아', 바로 주님께서 "나는 분명히 말한다. 온 세상 어디든지 이 복음이 전해지는 곳마다 이 여자가 한 일도 알려져서 사람들이 기억하게 될 것이다"(마태 26:13)라고 말씀하신 그 여인입니다.

창녀는 인류가 생긴 이래 가장 오래된 직업 중의 하나이며, 동서양을 막론하고 몸을 파는 창녀야말로 멸시의 대상이었습니다. 성서에는 두 명의 창녀가 나오는데, 한 사람은 마리아이며, 또 한 사람은 '남편이 다섯이나 있었고, 지금 살고 있는 남자도 남편이 아닌'(요한 4:18) 사마리아 여인입니다. 그러나 이 두 여인은 주님의 부르심을 받고 나서 주님을 그리스도로 알아본 성녀로 변화합니다.

성서에는 창녀와 더불어 또 다른 직업의 죄인들이 등장하고 있는데, 이는 바로 세리입니다. 그 당시 세리들은 적국인 로마를 위해서 세금을 거두어들이는 증오의 대상이었습니다. 그러므로 세리는 창녀와 더불어 죄인 중의 죄인이었던 것입니다. 그러나 주님은 길을 가시다가 세관에 앉아 있는 마태오를 보시고 "나를 따라오라" 부르신 후 제자로 삼으셨습니다. 또한 키 작은 세관장 자캐오가 나무 위에 앉아 있는 것을 보고 "자캐오야, 어서 내려오너라. 오늘은 내가 네 집에 머물러야 하겠다"(루가 19:5)라고 말씀하십니다. 주님께서 세리였던 이 두 사람의 집을 방문하시는 것을 보고 사람들이 모두

"저 사람은 죄인과 어울리는구나" 하고 비난하자, 주님은 "나는 선한 사람을 부르러 온 것이 아니라 죄인을 부르러 왔다"(마태 9:13)고 말씀하심으로써 이 죄인의 친구임을 분명히 밝히셨던 것입니다.

주님은 말씀하셨습니다.

"나는 분명히 말한다. 세리와 창녀들이 먼저 하느님의 나라로 들어가고 있다."

주님은 '가겠다는 말만 하고 가지 않는 둘째 아들'보다 '처음에는 싫다고 하였지만 나중에는 뉘우치고 일하러 간 맏아들'이야말로 아버지의 뜻을 받든 아들이라고 말씀하십니다. 처음에는 아버지를 거역하였던 창녀와 세리 같은 죄인도 뉘우치면 누구보다 먼저 하늘나라에 들어갈 수 있음을 창녀인 마리아와 세리였던 마태오를 통해 우리에게 실제로 증명해 보이고 계신 것입니다. 창녀 마리아야말로 성 크리소스토무스의 말처럼 '전세계를 통해 모든 사람들이 기리고 있는 성인' 바로 그 사람인 것입니다.

주님의 눈에는 지금 그 사람이 무엇을 하고 있느냐는 중요하지 않습니다. 주님은 그 사람이 하느님 아버지의 뜻을 받고 어떻게 뉘우치고 변화하는가에 더 많은 가치를 두고 계신 것입니다.

마태 21:28-32

하늘에 계신 우리 아빠

주인은 마지막으로 '내 아들이야 알아보겠지' 하며 자기 아들을 보냈다.

사람은 누구나 태어나서 처음에 '엄마'와 '아빠'라는 두 가지 말부터 배우게 됩니다.

그러나 인간을 창조하신 하느님을 감히 아버지라고 부른 사람은 아무도 없었습니다. 이스라엘 백성들도 하느님을 창조주 주님이라고만 불렀지 개인적으로 아버지라고 불렀던 적은 한 번도 없었습니다. 물론 구약성서에도 하느님을 '아버지'라고 부른 경우가 몇 번 나옵니다. 다윗은 하느님을 "당신은 나의 아버지, 나의 하느님, 내 구원의 바위이십니다"(시편 89:26)라고 노래했고, 이사야는 "당신께서는 우리의 아버지이십니다. 우리는 진흙, 당신은 우리를 빚으신 이, 우리는 모두 당신의 작품입니다"(이사 64:7)라고 노래했습니다.

그러나 그들이 노래한 아버지는 하느님을 이스라엘 민족의 아버지로 표현한 것이지 개인적으로 '아버지'라는 직접적인 호칭으로 사용했던 사람은 단 한 사람도 없었습니다.

하느님을 개인적으로 '아버지'라고 부른 사람은 예수 그리스도가 첫 번째입니다. 예수께서는 하느님을 '아버지'라고 불렀을 뿐만 아니라 아기가 아빠를 부르듯 자연스럽게 '아빠abba'라는 애칭으로 불렀습니다. 주님께서 게쎄마니에서 하느님에게 "아버지, 나의 아버지! 아버지께서는 무엇이든 다 하실 수 있으시니 이 잔을 나에게서 거두어주소서"(마르 14:36)라고 기도했을 때 그중 '아버지, 나의 아버지'의 첫 번째 호칭이 'abba'로 표현된 것을 보면 주님께서 하느님을 '아빠, 나의 아버지'라고 부르신 증거라고 신학자들은 말하고 있습니다.

그보다도 주님께서 하느님을 '아빠'라고 부르신 결정적인 증거는 사도 바울로가 "이제 여러분은 하느님의 자녀가 되었으므로 하느님께서는 여러분의 마음속에 당신의 아들의 성령을 보내주셨습니다. 그래서 여러분은 하느님을 '아빠, 아버지'라고 부를 수 있게 되었습니다"(갈라 4:6), "우리는 그 성령에 힘입어 하느님을 '아빠, 아버지'라고 부릅니다"(로마 8:15)라고 했던 것으로도 잘 알 수 있습니다.

주님은 포도원 소작인의 비유를 통해 자신이 하느님의 아들임을 분명히 말씀하셨습니다.

"어떤 지주가 포도원을 만든 다음 소작인들에게 주고 멀리 떠나 갔다. 포도 철이 되자 그는 도조를 받아오라고 종들을 보냈으나 소작인들이 이들을 죽였다. 주인이 마지막으로 아들을 보냈는데 소작인들은 '저자는 상속자다. 저자를 죽이고 우리가 포도원을 가로채자' 하면서 그를 끌어내어 죽였다."

이 말씀은 예수께서 자신이 어떻게 죽게 될 것인가를 암시함으로써 하느님과 자신이 '아버지와 아들'의 관계임을 분명히 밝히신 것입니다.

또한 예수님은 하느님을 '아버지'라고 복음을 통해서 170군데나 부르셨을 뿐만 아니라, 우리에게 직접 가르쳐주신 기도문 첫머리에도 '하늘에 계신 우리 아버지'라고 부르는 것을 허락하심으로써 하느님이 이제 우리에게 '아빠'가 되셨음을 정식으로 선언하셨습니다.

하느님의 외아들이신 예수께서 십자가에 못 박혀 돌아가심으로써 우리는 이제 하느님을 아빠라고 부를 수 있는 특권을 누리게되었습니다. 이제부터 하느님은 나의 아빠이며, 나는 그분의 친자親子이며, 예수는 나의 형님인 것입니다.

마태 21:33-43

58

초대받은 손님

하늘나라는 어느 임금이 자기 아들의 혼인잔치를 베푼 것에 비길 수 있다.

가톨릭 사상 가장 유명한 성녀 중의 한 사람인 소화小花 테레사 1873~1897는 세 살 때부터 '수녀가 되겠다'고 생각했습니다. 실제로 열두 살 때 수녀원 기숙학교에 입학했던 테레사는 당시 교황이던 레오 13세를 알현하고 미성년의 나이에도 특별히 수녀원에 입회할 것을 청원하기도 했습니다.

열일곱 살이던 1890년, 테레사의 서원誓願이 허락되자 테레사는 사촌 쟌의 청첩장을 흉내내 청첩장을 지었습니다.

아기 테레사 수녀의 결혼 초청장.
천지의 창조자이며 세상의 지배자인 전능하신 하느님과 천상의 왕후인 지극히 영광된 동정 마리아는 왕의 왕인 존귀한 아들

예수와 테레사 마르탱과의 결혼식에 참석하시기 바랍니다. 테레사 마르탱은 지금 천주이신 신성한 배필이 예물로 가져온 왕국, 즉 예수의 어린 시절과 수난을 동정 마리아로부터, 예수아기와 성면^{聖面}이라는 칭호를 받았습니다. 고통과 굴욕의 영지의 주인인 루이 마르탱 씨(테레사의 아버지)와 천상궁궐의 왕녀요, 궁녀인 마르탱 부인(테레사의 어머니)은 딸 테레사와 성령의 힘으로 사람이 되시어 마리아의 아들로 태어나신 하느님의 말씀 예수와의 결혼식에 참례하시기 바랍니다.

1890년 9월 8일 월요일

예수께서는 하늘나라를 이렇게 말씀하셨습니다.

"하늘나라는 어느 임금이 자기 아들의 혼인잔치를 베푼 것에 비길 수 있다. 임금이 종들을 보내어 잔치에 초청받은 사람들을 불렀으나 오려 하지 않았다."

예수께서 아직 때가 오지 않았는데도 혼인잔치를 위해 물을 포도주로 바꾸는 첫 번째 기적을 행하신 것(요한 2:11)에는 많은 의미가 함축되어 있습니다. 그것은 하느님이 베푸실 예수와 이 지상과의 혼인잔치에 대한 예비적 성격을 띠고 있습니다.

주님은 열 처녀의 비유(마태 25:1-13)를 통해 기름이 들어 있는 등잔을 가진 슬기로운 신부만이 신랑과 함께 혼인잔치에 들어갈 수 있다고 말씀하심으로써 자신이, 테레사가 장난스레 작성한 청첩장에 나오는 그 새신랑임을 분명히 밝히셨습니다.

그렇습니다. 예수께서 사람이 되어 이 지상에 찾아오신 것은 하느님이 베푸신 최고의 혼인잔치인 것입니다. 그런데 우리는 일에 매달려 밭으로 가고, 돈에 정신이 팔려 장사를 하고, 쾌락에 눈이 어두워 술과 도박과 성을 탐닉하는 것입니다. 그뿐 아니라 우리를 초청하는 그들을 권력으로 때리고 심지어는 죽이기도 했던 것입니다.

우리 모두는 바로 우리를 위해서 하느님이 베푸신 혼인잔치에 '초대받은 손님'들입니다. 어서 빨리 초대받은 잔치에 손님으로 참석합시다. 공연히 쓸데없이 지체하다가는 영원히 잔치에 참석하지 못하고 어두운 데로 내쫓겨 가슴을 치며 통곡하게 될지도 모릅니다. 주님의 혼인잔치에 참석하는 것이야말로 이 지상에서 우리가 해야 할 영순위의 최고의 가치입니다.

"잘 들어라. 처음에 초대받았던 사람들 중에는 내 잔치에 참여할 사람이 하나도 없을 것이다." (루가 14:24)

마태 22:1-14

무소유

세금으로 바치는 돈을 나에게 보여라.

고려 말의 학자이자 명신^{名臣}인 이조년^{1269~1343}은 호가 매운당^{梅雲堂}인데 유명한 시조 「이화에 월백하고」를 지은 시인이기도 합니다.

소년 시절 그는 형 억년과 한강가를 걸어가다가 우연히 길가에서 금덩어리를 주웠습니다. 하나씩 나누어 가진 두 형제는 기쁨에 들떠서 나룻배를 타고 강을 건너가고 있었는데 갑자기 동생 조년이 금덩어리를 강물 속에 던져버렸습니다. 깜짝 놀란 형이 묻자 조년이 대답하였습니다.

"형님, 금덩어리를 버리고 나니 마음이 편안해졌어요. 금을 형님과 나누어 갖고 난 후 줄곧 욕심이 솟구쳐 마음이 편치 않았어요. 형님이 없었더라면 내가 몽땅 가질 수 있었는데 하는 생각도 들고 형님 것을 뺏고 싶다는 충동까지 느끼지 뭡니까. 그래서 나는 황금이 요물임을 깨닫고 버린 것입니다."

이 말을 들은 형 억년도 금덩이를 한강 물 속에 던져 넣으며 말하였습니다.

"나도 마음속으로 너와 똑같이 생각하고 있었다. 하마터면 우리 사이에 금이 갈 뻔했구나."

후세 사람들은 형제들이 금을 던졌던 양천나루를 '투금탄投金灘'이라고 불렀습니다. 금덩어리를 던진 여울이라는 뜻이지요.

고려조의 마지막 보루였던 최영 장군도 집안의 자식들에게 다음과 같은 가훈을 남겼습니다.

"황금 보기를 돌같이 하라."

이처럼 황금을 모든 재앙의 근본으로 보는 청빈사상은 우리 선조들이 지닌 최고의 덕목이었습니다. 실제로 가톨릭에서는 수도생활을 이루는 3대 요소로 '청빈, 정결, 순명'을 손꼽고 있습니다. 특히 청빈의 성인으로 유명한 프란체스코는 최영 장군처럼 "돌덩어리보다 돈이나 황금을 더 쓸모 있다고 생각해서는 안 됩니다"라고 경계하고 있습니다.

유다인 학자들은 예수를 트집 잡기 위해서 올가미를 씌웁니다. '카이사르에게 세금을 바치는 것이 옳으냐, 옳지 않으냐'는 질문을 던지고 옳다는 대답이 나오면 예수를 로마의 앞잡이로 비난할 것이며, 옳지 않다는 대답이 나오면 로마에 저항하라는 뜻으로 고

발하려는 생각이었던 것입니다. 물론 예수께서는 이들의 간악한 속셈을 아시고 "어찌하여 나의 속을 떠보느냐? 세금으로 바치는 돈을 나에게 보여라"라고 말씀하십니다.

이것을 보면 주님께서는 한푼의 돈도 소유하지 않았던 사실을 우리는 분명히 알 수 있습니다. 사람들이 가져온 데나리온 한 닢은 당시 로마인들이 주조한 은전으로 하루 품삯에 해당되는 가장 기본적인 화폐였던 것입니다.

실제로 주님께서는 제자들을 파견할 때 "전대에 금이나 은이나 동전을 넣어가지고 다니지 말 것이며, 식량자루나 여벌 옷이나 신이나 지팡이도 가지고 다니지 마라"(마태 10:9)라고 분명히 못 박고 계십니다. 제자들에게 분부하신 말씀대로 주님은 자신의 주머니에는 은전 하나도 가지고 있지 않음을 분명히 보이고 계신 것입니다.

주님은 이처럼 완전한 무소유를 실천하셨습니다. 돌아가셨을 때 주님은 어머니 마리아께서 만들어준 것이 분명한 '혼솔 없이 통으로 짠 속옷'(요한 19:23)만을 입고 계셨는데 이것도 로마 병정들이 제비를 뽑아 나누어 가졌던 것입니다.

오늘날 우리들이 살고 있는 이 시대는 황금만능의 물질시대입니다. 지금이야말로 부정한 방법으로 은밀하게 돈주머니를 채우는 유다(요한 12:6)와 돈의 일부를 빼돌리는 아나니아와 그의 아내(사도 5:1-2)의 행위에서 벗어나 황금을 강물 속에 던져버리는 이

조년 형제의 선비사상을 본받고, 주님의 철저한 무소유의 삶을 실천할 때입니다.

마음이 가난한 사람이야말로 진정 행복한 사람입니다.

마태 22:15-21

주님과의 약속

내가 세상 끝날까지 항상 너희와 함께 있겠다.

윌리엄 포크너[1897~1962]는 미국이 낳은 위대한 작가입니다. 1949년 노벨문학상을 받은 그는 미시시피 주에서 태어나 평생을 미국 남부의 사회적 변혁의 모습을 소설로 형상화했던 독특한 소설가입니다. 남부 귀족 출신의 몰락을 그린 『음향과 분노』, 남부의 신화적인 테마를 우화를 통해 묘사한 「곰」 등을 남긴 포크너의 작품 중에 짧은 단편으로 「에밀리에게 장미를」이라는 걸작이 있습니다. 이 소설의 줄거리는 다음과 같습니다.

미국 남부 소도시에 에밀리라는 여인이 살고 있었습니다. 그녀는 평생을 독신으로 지냈으며, 괴팍한 성격으로 마을 주민과 어울리지 않던 여인이었습니다. 서른 살이 되도록 결혼을 못 한 노처녀 에밀리는 어느 날 떠돌이 십장인 베론이라는 사람과 사랑을 하게 됩니다. 마을 사람들은 에밀리 같은 귀족 여인이 베론 같은 떠돌이 상놈과 어울려 다니는 것은 마을 전체에 대한 불명예라고 수군거렸습니다. 그러나 베론이 에밀리를 배신하고 도망쳐버리자 에밀리는 문을 걸어 잠그고 평생을 자기 집에서 은둔생활을 합니다. 마침내 할머니가 된 에밀리가 자신의 집에서 죽자 마을 사람들은 수십 년 동안 열리지 않았던 그녀의 집을 방문하여 문상합니다. 그때 사람들은 굳게 닫힌 방 하나를 발견하게 됩니다. 합심해서 그 수수께끼의 방문을 부수고 안으로 들어가자 침대 위에 30년 전에 죽은 베론의 시신이 두 사람이 사랑을 나눴던 포옹의 자세로 백골이 되어 있는 것을 발견하게 됩니다. 에밀리는 자신을 배신하고 떠나려는 베론을 독살하고는 그의 시신을 평생 동안 침대 위에 눕혀놓고 그의 베개 옆에서 사랑을 나누었던 것입니다.

이 기괴한 짧은 단편은 사랑에 집착하는 에밀리라는 여인을 통해서 인생의 허무함과 사랑의 헛된 맹세를 날카롭게 묘사하고 있습니다.

가엾은 에밀리처럼 우리들은 평생을 헛된 맹세 속에 살아가고 있습니다. 우리는 사랑을 맹세하고, 우정을 약속하고, 계약을 맺습니다. 그러나 우리들의 맹세와 약속은 한갓 들에 핀 풀포기와 같은 것입니다. 예언자 이사야가 "모든 인생은 한낱 풀포기, 그 영화는 뜰에 핀 꽃과 같다! 풀은 시들고 꽃은 진다. 풀은 시들고 꽃은 지지만 우리 하느님의 말씀은 영원히 서 있으리라"(이사 40:6-8)라고 노래하였듯 사람들의 약속은 헛되고 헛된 것입니다. 영원한 것은 오직 하느님의 말씀과 우리 주 그리스도뿐인 것입니다.

주님께서 "아예 맹세를 하지 마라. 하늘을 두고도 맹세하지 마라. 땅을 두고도 맹세하지 마라. 네 머리를 두고도 맹세하지 마라"(마태 5:34-36)라고 말씀하신 것은 바로 우리들 인생이 풀포기와 같아서 맹세와 약속의 유한성을 경계하고 계신 것입니다.

주님은 부활하신 후 제자들 앞에서 다음과 같은 마지막 유언을 남기십니다.

"나는 하늘과 땅의 모든 권한을 받았다. 그러므로 너희는 가서 이 세상 모든 사람들을 내 제자로 삼아 아버지와 아들과 성령의 이름으로 그들에게 세례를 베풀고 내가 너희에게 명한 모든 것을 지키도록 가르쳐라."

그리고 주님은 우리에게 다음과 같이 맹세하십니다.

"내가 세상 끝날까지 항상 너희와 함께 있겠다."

주님의 이 맹세야말로 영원한 약속이신 것입니다. 주님은 우리와 함께 현존現存하고 계십니다. 그분은 과거에도 계셨고, 지금도 계시고, 미래에도 계실, 살아 있는 우리의 그리스도이십니다. 주님의 이 약속이 '에밀리의 장미'처럼 헛된 사랑의 맹세라면 우리는 지금 침대 위에 누워 썩어가고 있는 죽은 그리스도를 사랑하는 가엾은 에밀리와 같은 사람들일 것입니다.

주님은 말씀하셨습니다.

"자, 내가 곧 가겠다. 나는 처음과 마지막이며, 시작과 끝이다."
(묵시 22:12-13)

마태 28:16-20

큰바위얼굴

누구든지 자기를 높이는 사람은 낮아지고 자기를 낮추는 사람은 높아진다.

호손[1804~1864]은 미국의 소설가로 매사추세츠 주에서 선장의 아들로 태어났습니다. 17세기에 청교도를 조상으로 모신 가정이었으므로 청교도의 사상과 생활태도에 깊은 관심을 가지고 많은 작품을 썼습니다. 특히 보스턴에서 일어난 간통 사건에 관련된 소설 『주홍글씨』는 19세기 미국의 대표적인 소설이라고 할 수 있습니다.

그가 남긴 짧은 소설 중에 「큰바위얼굴」이라는 주옥 같은 작품이 있습니다.

어니스트는 높은 분지에 싸인 조그만 통나무집에서 어머니와 함께 살고 있었습니다. 이 골짜기에는 '큰바위얼굴'이라고 불리는 장엄하고도 숭고한 형상의 바위가 하나 있었는데 어머니는 어린

아들에게 실제로 그 바위와 같은 모습을 가진 거룩한 사람이 언젠가 찾아올 것이라는 예언을 말해줍니다. 어니스트는 그 바위를 스승으로 모시고 그 바위와 같은 얼굴을 지닌 사람이 찾아올 것을 믿으며 평생을 보냅니다. 어니스트가 소년이 되었을 때 막대한 재산을 가진 거부가 고향으로 돌아온다는 말을 듣고 소년은 그 사람이 예언의 인물임을 확신하고 기다립니다. 그러나 그 거부가 왔을 때 마을 사람들은 모두 그가 큰바위얼굴과 닮았다고 환호하지만 소년은 실망합니다. 그가 청년이 되었을 때 위대한 장군이 찾아옵니다. 사람들은 그 장군이 큰바위얼굴과 닮았다며 다시 환호하지만 어니스트는 예언의 인물이 아니라며 다시 기다립니다. 다음에는 정치가 한 사람이 찾아옵니다. 어니스트는 그 정치가에게도 실망을 합니다.

예언의 인물이 찾아오기를 기다리는 동안 어니스트는 늙은 노인이 되었고, 어느 날 저명한 시인 한 사람이 찾아옵니다. 그러나 그 시인의 얼굴도 어니스트가 그토록 기다리던 큰바위얼굴은 아니었습니다. 실망한 어니스트가 울고 있을 때 시인은 문득 겸손하고 온화하고 사려 깊은 어니스트의 모습을 바라보면서 이렇게 외치는 것입니다.

"보시오, 보시오. 어니스트 씨야말로 큰바위얼굴과 똑같습니다."

주님은 대접받기를 원하고 스스로 존경받기를 원하는 사람을 위선자라고 질책하십니다.

"너희 중에 으뜸가는 사람은 너희를 섬기는 사람이 되어야 한다. 누구든지 자기를 높이면 낮아지고 자기를 낮추면 높아진다."

우리들에게는 누구나 두 가지의 '나'가 있습니다. 하나는 '남에게 보이기 위한 나'이고 또 하나는 '내 속에 들어 있는 나'입니다. 불교에서는 '내 속에 들어 있는 나'를 진짜 나, 즉 진아眞我라고 부릅니다. 사람들은 자기 속에 들어 있는 '진짜 나'보다 '남에게 보이기 위한 나'에게만 집착합니다. 소설 「큰바위얼굴」에 나오듯 돈을 모으고, 권력을 얻고, 명예에 집착하는 것은 결국 허상虛像이며 허명虛名일 뿐인 것입니다.

호손의 「큰바위얼굴」은 어떤 사람이 장차 오기로 된 예언 속의 인물인가를 극명하게 드러내 보이고 있습니다. 어니스트는 설마 자신이 큰바위얼굴을 닮은 거룩한 사람일 줄은 전혀 몰랐으며, 끊임없이 큰바위얼굴의 겸손과 침묵 그리고 그 거룩한 인내와 순종을 닮으려 노력하면서 한평생을 보냄으로써 자연의 풍상이 큰바위를 거룩한 얼굴로 조각한 것처럼 그 마음속에 깃든 인격으로 스스로의 얼굴을 큰바위얼굴로 조각해나갔던 것입니다.

인간이 이 세상에 태어난 가치는 권력을 얻고 명예를 얻어 '남에게 보여지는 나'를 드러내는 것에 있지 않습니다. 인간 존재의 최고 가치는 살아 있는 큰바위얼굴을 이루는 데 있습니다.

　예수 그리스도는 우리의 머릿돌(마태 21:42)이자 큰바위얼굴입니다. 한 가지 소망이 있다면 예수 그리스도의 큰바위얼굴과 닮고 싶은 것뿐입니다. 주여, 나를 도우소서.

마태 23:1−12

성聖 춘향

그날과 그 시간은 아무도 모른다. 그러니 항상 깨어 있어라.

『춘향전』은 『심청전』과 더불어 우리 민족이 낳은 대표적인 고전
소설 중의 하나입니다. 전세계적으로 이처럼 아름다운 로맨스의
구전문학을 갖고 있는 나라도 드물 만큼 『춘향전』은 우리 민족이
창조한 사랑의 송가頌歌입니다.

남원 부사의 아들 이몽룡과 퇴기 월매의 딸 춘향은 광한루에서
처음 만나 서로 사랑에 빠지게 됩니다. 남원 부사가 임기를 끝내
고 서울로 돌아가게 되자 두 사람은 다시 만날 것을 기약하고 이
별합니다. 그러나 신관新官으로 내려온 변사또가 춘향의 미모에 반
해 수청을 강요합니다. 춘향은 일부종사一夫從事를 앞세워 거절하다
가 결국 죽을 지경에 이르게 됩니다. 한편 이도령은 과거에 급제

해서 어사가 되어 내려오지만, 처음에는 일부러 몰락한 거지꼴을 하고 왔다가 마침내 변사또를 탐관오리로 몰아 쫓아내고 춘향이를 구출합니다. 이도령은 춘향을 정실부인으로 맞아 백년해로를 하는 것으로 극적인 사랑의 열매를 맺게 됩니다.

이 소설이 우리 민족에게 주는 메시지는 두 가지입니다. 하나는 양반집 자제와 기생의 딸이라는 신분을 뛰어넘어 사랑을 쟁취하는 평등사상이고, 또 하나는 언제 돌아올지 모르는 기약 없는 연인을 기다리는 춘향의 절개와 순결입니다. 특히 과거에 급제하여 금의환향하는 이도령이 일부러 거지꼴을 하고 춘향을 만나러 가는 장면은 극적 클라이맥스의 백미라고 말할 수 있을 것입니다.

주님은 우리에게 말씀하셨습니다.

"하늘나라는 열 처녀가 저마다 등불을 가지고 신랑을 맞으러 나간 것에 비길 수 있다. 슬기로운 처녀들은 등잔과 함께 기름도 그릇에 담아 가지고 준비하고 있었는데, 마침내 신랑이 오자 함께 혼인잔치에 들어갔고 문은 잠겨졌다."

그러고 나서 주님은 결론을 내리십니다.

"그날과 그 시간은 아무도 모른다. 그러니 항상 깨어 있어라."

춘향은 슬기로운 처녀였습니다. 춘향은 언제 올지 모르는 사랑하는 신랑을 기다리며 항상 깨어 있었습니다. 그 집요한 유혹에도 불구하고 한결같은 정절로 자신의 믿음을 지켰으며, 심지어 사랑하는 사람이 비렁뱅이 차림으로 찾아왔지만 자신의 사랑을 의심치 않았던 것입니다. 슬기로운 처녀가 신랑으로 찾아온 주님과 혼인잔치에 들어가 마침내 행복한 신방을 꾸미듯 춘향이 이도령의 정실부인이 되어 백년해로하는 해피엔딩은 지극히 당연한 일인 것입니다. 그런 의미에서 춘향은 우리에게 믿음의 전형을 보여주고 있는 것입니다. 주님은 성서를 통해 자주 자신을 신랑에 비유하셨으며, 자신이 이 지상에 오신 것을 혼인잔치에 비유하셨습니다. 우리는 하느님의 아들이 되어 이 지상으로 금의환향하신 주님의 초라한 행색에 실망하여 주님을 십자가에 못 박아 죽인 미련한 처녀들인 것입니다. 그러나 춘향이의 슬기로움은 우리 민족이 지닌 슬기입니다. 세계적으로 유례가 없는 그 많은 순교자가 탄생한 것은 이러한 성^聖 춘향의 굳은 믿음이 우리 민족의 피 속에 원형질로 흐르고 있기 때문입니다.

예수 그리스도야말로 오시기로 되어 있는, 우리 민족이 기다리는 이도령 바로 그분인 것입니다. 이제 그분이 오십니다. 그러니 등잔불을 밝히고 주님이 쉽게 오실 수 있도록 어두운 길을 대낮같이 비추어 깨어 일어나 다같이 나아갑시다.

마태 25:1-13

신앙의 조건

있는 사람은 더 받아 넉넉해지고 없는 사람은 있는 것마저 빼앗길 것이다.

임상옥[1779~1855]은 4대째 평안북도 의주에서 장사를 하던 가난한 상인의 아들로 태어나, 열여덟 살 때부터 중국에 사신 길로 따라다니다 마침내 인삼 교역으로 조선 최대의 거상이 되었던 무역왕입니다. 이른바 '사농공상士農工商'이라고 하여 상업을 가장 천시하였던 조선에서 거상으로 성공할 수 있었던 그는 평생토록 상업의 정도正道를 지켜나갔던 위대한 거인이었습니다. 그에게는 다음과 같은 일화가 있습니다.

어느 날 세 명의 장사꾼이 돈을 빌려달라고 찾아왔습니다. 임상옥은 각자 한 냥씩을 꿔주고 닷새 후에 장사를 해서 이문을 남겨 돌아오라고 말하였습니다.

한 사람은 짚신을 다섯 켤레 팔아 이익을 다섯 푼 남겨 왔고, 한 사람은 대나무와 창호지를 사다가 종이 연을 만들어 팔았는데 마침 섣달 열흘이라 대목을 봐서 한 냥을 남겨 왔습니다. 그러나 나머지 한 사람은 엉뚱하게도 백지를 한 장 사서 그 종이 위에 '절간에 들어가 글을 읽을 터이니 비용을 대달라'는 소지^{素志}를 의주 부윤^{府尹}에게 써 올린 후 열 냥을 빌려왔습니다. 이 말을 들은 임상옥은 짚신을 판 사람에게는 백 냥, 종이 연을 판 사람에게는 이백 냥, 허황한 짓을 한 사람에게는 서슴없이 천 냥을 빌려주고 일 년 후에 갚으라고 말하였습니다.

일 년 후 다른 사람들은 나타났지만 그 마지막 사람만은 나타나지 않았습니다. 마침내 6년이 지난 후, 그는 그 돈으로 인삼 씨앗을 사서 태백산에 들어가 씨를 뿌린 후 6년의 기다림 끝에 인삼 열 바리, 그러니까 십만 냥의 거금을 벌어 돌아온 것이었습니다.

이 세 사람에 대해 임상옥은 다음과 같이 평가하였습니다.

"짚신을 만들어 판 사람은 하루를 벌어 하루를 살 장사꾼에 불과하다. 종이 연을 만들어 판 사람은 때를 살필 줄 아는 작은 상인이라고 말할 수 있다. 그러나 씨앗을 뿌린 상인이야말로 기다릴 줄 아는 인내심과 상업의 근본을 보는 눈을 가진 사람이다. 그는 반드시 거상이 될 것이다."

임상옥의 이러한 일화는 주님이 말씀하신 하늘나라의 비유와 신기하게도 일치하고 있습니다.

주님은 세 명의 종에게 각자의 능력에 따라 돈을 맡기고 떠났으나, 주님이 무서운 분인 줄 알고 있어 받은 돈 한 달란트를 그대로 땅에 묻어두었던 사람에게 '너야말로 악하고 게으른 종이다'라고 호통을 치시고, 그 한 달란트마저 빼앗아 열 달란트를 가진 사람에게 주면서 다음과 같이 말씀하십니다.

"누구든지 있는 사람은 더 받아 넉넉해지고, 없는 사람은 있는 것마저 빼앗길 것이다."

우리는 모두 주님으로부터 각자의 능력에 따라 달란트, 즉 재능을 받은 사람들입니다. 주님은 첫 번째와 두 번째 종이 얼마를 벌었는가에는 관심이 없으십니다. 다만 주님은 첫 번째와 두 번째 종이 재능을 생산적으로 활용한 그 결과만을 중요하게 여기고 있는 것입니다. 주님이 세 번째 종에게 화를 내셨던 것은 그가 생산적인 일에는 관심이 없고, 오직 말뿐이며 행하지 않는 비생산적인 성서적 해석에만 매달리고 있었기 때문입니다. '심지 않은 데서 거두시고, 뿌리지 않은 데서 모으시는 무서운 분'이라는 엄한 하느님을 찾는 것보다 주님으로부터 받은 사랑을 풍성하게 이웃과 나누고 실천하는 것이야말로 주님이 원하는 바른 길인 것입니다.

임상옥이 인삼 씨앗을 사서 뿌린 후 6년 후에 거두어들인 창조적이고 생산적인 상인이야말로 거부가 될 자격이 있다고 판단하였던 것처럼 주님께서도 우리가 받은 신앙의 씨앗을 작은 일에도 최선을 다하는 정성된 마음으로 이웃에게 뿌리는 사람이야말로 주님과 더불어 함께 기쁨을 나눌 수 있는 사람임을 분명히 말씀하고 계신 것입니다.

마태 25:14-30

절망하는 남자

사람의 아들이 영광을 떨치며 천사를 거느리고 영광스런 왕좌에 앉게 되면
모든 민족들을 불러놓고 마치 목자가 양과 염소를 갈라놓듯이
양은 오른편에, 염소는 왼편에 자리잡게 할 것이다.

미켈란젤로[1475~1564]는 뛰어난 화가입니다. 그는 원래 조각가로
〈다비드상〉과 같은 걸작을 남겼으며, 특히 죽은 예수를 안고 있는
마리아의 모습을 조각한 〈피에타〉는 그가 평생을 통해 추구하였던
중요한 소재였습니다. 그러나 미켈란젤로가 그처럼 유명한 화가로
각인될 수 있었던 것은 로마에 있는 시스티나 성당 천장에 그린
〈천지창조〉와 제단 뒷벽의 〈최후의 심판〉이라는 벽화 때문입니다.

당시 교황 율리우스 2세의 위촉으로 성당 천장에 인류의 원조인
아담이 하느님에 의해서 창조되는 〈아담의 창조〉를 비롯하여 아홉
장면을 그린 〈천지창조〉는 4년여에 걸친 작업으로 고개를 젖히고
거의 혼자의 힘으로만 완성한 걸작입니다. 그로부터 30년 뒤 미켈
란젤로는 다시 바오로 3세의 위촉으로 제단 뒤쪽의 벽화를 제작하

게 됩니다. 단테의 『신곡』에 나오는 '최후의 심판'을 주제로 선택한 그는 5년 반의 세월을 거쳐 만년의 걸작으로 완성하게 됩니다.

이 작품의 한가운데에는 부활하신 예수가 오른손을 치켜들고 심판하는 장면이 그려져 있으며 그 바로 옆에는 엄격한 그리스도의 모습과는 대조적으로 성모 마리아가 자애로운 모습으로 앉아 있습니다.

이 그림 속에는 4백 명 이상의 군중이 배열되어 있으며, 주로 주님의 오른편에는 천국으로 오르는 영혼, 왼편에는 지옥으로 떨어지는 벌 받는 영혼이 나뉘어져 묘사되고 있습니다. 아래쪽 중앙에는 여러 명의 천사들이 나팔을 불면서 '최후의 날'이 왔음을 알리고 있습니다. 죽었던 사람들이 부활하여 의인들은 그리스도 곁으로 떠올라가고 있으며 악마들은 지옥으로 끌어내리려고 서로 다투고 있는데, 그중에서 가장 눈에 띄는 인물은 천사와 죄인들 사이에서 왼손으로 얼굴을 가리고 앉아 있는 '절망에 빠진 남자'의 모습입니다. 그는 아직 주님에게 심판받지 않은 유보 상태 속에서 고뇌하고 있습니다. 그는 아직 주님의 오른편에 올라가 영원한 생명의 나라로 들어갈 심판을 받은 것도 아니며, 주님의 왼편으로 떨어져 영원히 벌 받는 곳으로 쫓겨난 죄인도 아닙니다.

바로 그 남자 곁에 지갑과 열쇠를 목에 건 죄인(탐욕과 인색의 상징)이 악마에게 머리를 끌려서 추락하고 있는 모습이 그려져 있는 것으로 보아 이 남자는 선과 악, 천사와 죄인 사이에서 고뇌하고 있는 현대인을 상징하고 있는 것입니다.

주님은 우리에게 분명히 말씀하셨습니다.

"사람의 아들이 영광을 떨치며 천사를 거느리고 영광스런 왕좌에 앉게 되면 모든 민족들을 불러놓고 마치 목자가 양과 염소를 갈라놓듯이 최후의 심판을 내릴 것이다."

예수 그리스도는 구세주로 이 세상에 오셨지만 구원의 역사는 시작된 것일 뿐 아직 완성된 것은 아닙니다. 그분이 다시 오셔서 심판을 내려야만 구원은 비로소 완성될 수 있을 것입니다.

심판의 날은 멀지 않았습니다. 주님의 날은 마치 밤중의 도둑같이(Ⅰ데살 5:2) 오고 있음은 명백한 사실입니다. 이제 거의 때가 되었습니다. 이러한 때 무엇을 망설이고 있습니까.

미켈란젤로가 그린 〈최후의 심판〉 중에서 얼굴을 감싸쥐고 절망과 고뇌에 빠져 있는 모습과 같은 그대여, 그 절망에서 일어서십시오. 그대의 머리 위에는 영원한 생명이신 우리 주 예수 그리스도가 그대를 부르며 기다리고 계십니다.

마태 25:31-46

꿈

그때가 언제 올는지 모르니 조심해서 항상 깨어 있으라.

『삼국유사』는 『삼국사기』와 더불어 우리나라 최고의 역사서입니다. 『삼국유사』를 지은 일연 $^{1206~1289}$ 은 경주에서 태어나 아홉 살때 출가하였으며, 83세가 되던 해 제자로 하여금 북을 치게 하고 앉은 채 담소하다가 갑자기 입적하였는데, 그가 남긴 저서 중 오늘날 남아 전하는 것은 『삼국유사』뿐입니다. 그 속에는 '조신 ^{調信} 의 꿈'이라는 짤막한 설화가 들어 있는데, 이광수가 「꿈」이라는 제목으로 소설화해서 유명해졌고 여러 번 영화로도 영상화된 그 이야기는 다음과 같습니다.

신라시대 어느 날, 스님 조신이 장원 ^{莊園} 으로 파견되어 관리하고 있었는데 그는 태수의 딸을 좋아하게 되었습니다. 그러나 그 여인에게는 이미 배필이 있었습니다. 하루는 그가 법당 안에서 관음보살에게 그 여인과 함께 살게 해달라고 기도하고 있었는데 갑자기 낭자가 들어와 다음과 같이 말하는 것이었습니다.

"저는 일찍부터 스님을 마음속으로 사랑하고 있었습니다."

조신은 기뻐하며 여인과 함께 40년을 숨어 살아갑니다. 자녀 다섯을 두었는데 가족들은 걸인처럼 살다가 열다섯 살 된 큰아이가 굶어 죽고, 두 내외는 늙고 병들어 열 살 된 딸을 앞세워 동냥질을 하여 먹고살게 됩니다. 이에 부인이 말합니다.

"아름다운 모습도 풀 위의 이슬이요, 지초芝草와 같은 사랑의 약속도 바람에 흔들리는 버들가지와 같습니다. 이제 그대는 내가 있어 더 누가 되며, 나 역시 그대 때문에 더 근심이 됩니다."

그리고 나서 두 사람이 울면서 헤어지는 순간 꿈에서 깨어나는 것입니다. 그러니까 부부간의 50년 세월이 깜빡 불당 안에서 졸았던 하룻밤의 꿈인 것을 조신은 그제서야 깨달았던 것입니다.

일연은 이 이야기를 마치고 나서 이렇게 말하였습니다.

"지금 모든 사람들이 속세의 즐거움만 알아 기뻐하려고 애를 쓰고 있지만 이것은 다만 하룻밤의 꿈에 지나지 않는 것이다."

주님은 말씀하셨습니다.

"주인이 갑자기 돌아와서 너희가 잠자고 있는 것을 보게 되면 큰일이다. 늘 깨어 있어라."

주님은 기회 있을 때마다 우리에게 깨어 있으라고 말씀하십니다. 그러나 우리는 주님이 최후의 기도를 드리는 순간에도 잠들어 있던 베드로처럼 "한 시간도 깨어 있을 수 없으며 마음은 간절하지만 몸이 말을 듣지 않는"(마태 26:41) 불쌍한 사람들인 것입니다. 우리들의 삶은 너무나 지쳐서 깨어 있으려 해도 눈을 뜨고 있을 수 없기 때문입니다. 이러한 우리가 잠의 유혹에 빠지지 않고 항상 깨어 있는 방법을 주님께서는 다음과 같이 가르쳐주고 계십니다.

"유혹에 빠지지 않도록 깨어 기도하라."(마태 26:41)

일찍이 성욕에 괴로워하던 프란체스코는 눈밭을 뒹굴고 나서 눈으로 아내와 자식들의 눈사람을 만든 후 이렇게 말하였습니다.

"저것이 너의 아내고, 저것이 너의 아이들이다. 보아라, 그 가족들이 저처럼 녹아서 흔적도 없지 아니하냐."

그렇습니다. 우리들의 인생은 한갓 꿈에 지나지 않으며 우리들의 인생이란 한갓 눈으로 빚은 설인雪人에 지나지 않습니다. 이 헛된 망상에서 일어나기 위해서는 주님의 말씀처럼 항상 '기도'함으로써 늘 깨어 있어야 할 것입니다.

마르 13:33-37

주님의 발

나는 몸을 굽혀 그의 신발끈을 풀어드릴 만한 자격조차 없는 사람이다.

사람의 몸 중에서 가장 낮은 곳에 있는 것은 발입니다. 그래서 신체 중에서 가장 하찮은 부분으로 인식되어온 것이 바로 발인 것입니다.

세례자 요한이 "나보다 더 훌륭한 사람이 내 뒤에 오신다. 나는 몸을 굽혀 그의 신발끈을 풀어드릴 자격조차 없는 사람이다"라고 말하였던 것은 그런 의미의 비유였던 것입니다. 즉, 주님이 얼마나 훌륭하신 분인지 그분의 몸은커녕 가장 낮은 곳에 있는 발을 감싸고 있는 신발의 끈조차 함부로 만질 수 없는 분이라는 사실을 요한은 선포하고 있는 것입니다.

그런데 성서에 보면 '주님과 발'에 관한 구절이 두 군데에 나옵니다. 하나는 주님께서 잡히시기 전날 밤 제자들의 발을 차례로 씻어주시는 장면입니다. 심지어 주님은 조금 있으면 배반할 가리옷 유다의 발까지 씻어주셨습니다. 베드로가 황송해서 "제 발만은 씻지 못하십니다" 하고 말하자 주님은 "내가 너희의 발을 씻어주었으니 너희도 서로 발을 씻어주어야 한다. 내가 너희에게 한 일은 너희도 그대로 하라고 본을 보여준 것이다"(요한 13:14-15)라고 말씀하십니다.

성서에 나오는 '주님과 발'에 관한 두 번째 구절은 바로 마리아 막달레나가 주님의 발에 매우 값진 순 나르드 향유를 붓고 자기 머리털로 닦아드리는 장면(요한 12:3)입니다. 요한조차 신발끈을 풀어드릴 자격이 없다고 말한 주님의 발에 감히 창녀와 다름이 없는 마리아가 값비싼 향유를 붓고 그 발을 자신의 머리털로 닦아드린 것입니다. 얼핏 보면 위선적이며 관능적으로까지 보이는 이 장면 때문에 가리옷 유다가 배신을 결심했던 것도 우연한 일은 아닙니다. 그러나 주님은 자신을 배신하는 결정적 계기를 만들어준 이 여인의 행위에 대해 "참견하지 말라"고 못 박았을 뿐 아니라 "나는 분명히 말한다. 온 세상 어디든지 복음이 전해지는 곳마다 이 여자가 한 일도 알려져서 사람들이 기억하게 될 것이다"(마르 14:9)라고까지 말씀했던 것입니다.

그로부터 며칠 뒤 "마침내 그들은 예수를 십자가에 못 박았습니다."(마르 15:24) 마리아가 향유로 닦아드린 주님의 발에 못이 박히고 주님은 돌아가시게 되는 것입니다. 주님께서 마리아의 일을 자신의 '장례를 위하여 하는 일'이라고 말씀하셨던 것이 사실로 이루어진 것입니다.

일찍이 "여자의 몸에서 태어난 사람 중에 이보다 더 큰 인물은 없다"(마태 11:11)는 평가를 받은 세례자 요한이 자신은 감히 신발 끈조차 풀어드릴 자격이 없다고 한 주님께서 직접 대야에 물을 떠서 우리들의 발을 씻어주시고 허리에 두르셨던 수건으로 닦아주심으로써(요한 13:5) 우리는 온몸이 깨끗해졌습니다. 그러나 우리는 한번도 주님의 발을 닦아드린 적은 없습니다. 우리를 위해 못이 박히고 그 발에서 흘러내린 붉은 피로 구원된 우리지만 그 발에 입을 맞추기는커녕 닦아드린 적조차 없는 것입니다.

주님, 우리에게도 마리아의 열정을 허락하소서. 마리아가 주님의 발에 향유를 부어 '온 집안에 향유 냄새가 가득 찼듯이' 우리도 주님의 발에 향유를 부어 온 세상이 주님의 향기로 넘쳐나게 하소서. 이제는 우리가 당신의 발을 씻어드릴 때가 되었나이다.

마르 1:1-8

보이지 않는 손

당신들이 알지 못하는 사람 한 분이 당신들 가운데 서 계십니다.

서양에서는 하느님을 '보이지 않는 손'이라고 부릅니다. 이 유명한 말을 처음 사용한 사람은 경제학의 아버지라고 불리는 애덤 스미스[1723~1790]인데, 그는 그의 명저 『국부론』에서 개인의 이기심에 입각한 경제행위가 결국 사회적 생산력의 발전에 이바지하며 이러한 사적 이기심과 사회적 번영을 매개하는 것은 하느님의 '보이지 않는 손'이라고 결론을 내렸습니다. 그후부터 경제뿐 아니라 사회, 역사, 문화, 예술의 발전을 이끄는 힘은 '보이지 않는 손'이라는 학설이 등장하게 되었던 것입니다.

특히 프랑스의 신학자이자 철학자이던 샤르댕[1881~1955]은 신학과는 정반대의 대표적 학설인 진화론 속에도 '보이지 않는 손'의 끊임없는 창조가 깃들어 있으며, 이 끊임없는 창조의 중심에는 그리스도가 존재하고 있다고 역설하였습니다. 이 이론을 '진화자로서의 그리스도'라고 부르는데, 어쨌든 이러한 사상은 21세기를 맞는 우리에게 희망을 주고 있습니다.

세계 곳곳에서 일어나고 있는 홍수와 지진과 같은 천재지변, 종교와 지역 간의 갈등으로 인한 끊임없는 전쟁과 살상, 기아와 질병, 성(性)의 타락으로 인한 정신적 빈곤과 끝 간 데를 모르는 과학만능주의와 물질중독 등 얼핏 보면 한줄기 희망조차 없어 보이는 이 절망의 시대에 우리의 그리스도는 '보이지 않는 손'으로 그 중심에 서서 새로운 창조를 이끌어가고 있다는 샤르댕의 주장은 바로 희망의 메시지인 것입니다.

그러나 이 '보이지 않는 손'에 대해 처음 말한 사람은 의외로 세례자 요한입니다. 그는 질문을 받자 "당신들이 알지 못하는 사람 한 분이 당신들 가운데 서 계십니다"라고 대답함으로써 우리들 가운데에 서 계신 알지 못하는 사람이야말로 이 세상을 '성령과 불의 세례'(마태 3:11)로 새로운 천지를 창조하실 그리스도임을 예언하고 있는 것입니다.

'우리들이 알지 못하는 사람'은 바로 '보이지 않는 손'이신 예수 그리스도이신 것입니다. 그분은 언제나 우리들 가운데 서 계십니다. 그분은 부활하신 후, 제자들이 무서워서 문을 모두 닫아걸고 있을 때 들어오셔서 그들 한가운데 서시며 "너희에게 평화가 있기를!" 하고 인사를 하십니다.(요한 20:19) 주님은 모든 슬픔과 불행을 물리치는 '보이지 않는 손'이며 모든 두려움을 평화로 바꾸는 새로운 창조의 중심임을 스스로 나타내 보이시기 위해서 그들의 '한가운데'에 서 계시는 것입니다.

이처럼 예수 그리스도야말로 모든 것의 중심입니다. 그분은 하늘과 땅의 권한을 받았으며(마태 28:18), 스스로 '사람의 아들'이 되심으로써 하늘과 사람의 중개자가 되셨으며, 부활하심으로써 죽음을 물리친 승리자가 되시고 마침내 우리의 그리스도가 되신 것입니다.

예수 그리스도는 지금도 슬픔과 공포에 떨고 있는 우리 한가운데에 서 계십니다. 이 슬픔을 '어쩔 줄 모르는 기쁨'(요한 20:20)으로 바꾸고 이 공포를 '평화'로 바꾸기 위해.

그럼에도 불구하고 우리들은 아직 그분을 보지 못할 뿐 아니라 알지도 못하고 있습니다. 우리는 이처럼 어리석은 인간들인 것입니다.

요한 1:6-8, 19-28

생각하는 갈대

마리아는 몹시 당황하며 도대체 그 인사말이
무슨 뜻일까 하고 곰곰이 생각하였다.

근세철학의 시조로 불리는 데카르트[1596~1650]와 파스칼[1623~1662]은 공통된 점이 많이 있습니다. 두 사람은 모두 수학자이자 물리학자였으며 또한 철학자였습니다. 실제로 파스칼은 데카르트를 만나서 많은 영향을 받았으며, 데카르트는 학문에서 확실한 기초를 세우려면 조금이라도 불확실한 것은 모두 의심해보아야 하는데 이런 생각, 즉 의심하는 자신의 존재만은 의심하지 않는 모순을 발견하고 이에 그 유명한 '나는 생각한다. 그러므로 나는 존재한다' 라는 근본명제를 확립하였던 것입니다.

파스칼은 이 근본명제를 발전시켜, 그의 사상을 집약한 『팡세』의 첫머리에 다음과 같은 유명한 말을 남기고 있습니다.

인간은 자연 가운데 가장 약한 갈대에 지나지 않는다. 그러나 그것은 생각하는 갈대이다.

데카르트와 파스칼은 인간의 위대함을 생각, 즉 자기 존재의 사유에서 발견하였던 것입니다.

하느님의 천사 가브리엘이 마리아의 집을 찾아가 "은총을 가득히 받은 이여, 주께서 너와 함께 계신다"라고 인사하였을 때 마리아는 몹시 당황하며 도대체 그 인사말이 무슨 뜻일까 '곰곰이 생각' 하였던 것은 깊은 의미가 있습니다. 이보다 앞서 천사가 나타났을 때 즈가리야가 '몹시 당황하여 두려움에 사로잡혔던' 것과는 달리 마리아는 비록 당황하기는 했으나 정신을 가다듬고 그 뜻이 무엇일까 곰곰이 생각하였던 것입니다.

그러므로 "이 몸은 주님의 종입니다. 지금 말씀대로 저에게 이루어지기를 바랍니다"라는 마리아의 답변은 즉흥적이거나 감상적인 답변이 아니라 깊은 사유 끝에 선택한 인류 사상 가장 위대한 결단이었던 것입니다.

성서를 보면 성모님이 '생각이 깊은 사람'이란 사실을 분명히 깨달을 수 있습니다. 주님이 태어나실 때 양치기 목자들은 하늘에 나타난 천사들을 보고 베들레헴으로 달려갑니다. 그리고 구유에 누워 있는 아기예수를 본 순간 "사람들에게 아기에 관하여 들은 말을 이야기합니다." 이때 마리아는 "이 모든 일을 마음속에 깊이 새겨 오래 간직합니다."(루가 2:19) 그뿐인가요. 예수께서 열두 살 되던 해, 잃었던 예수를 성전에서 찾으신 후 "애야, 왜 이렇게 애를 태우느냐"고 꾸짖자 아들인 예수로부터 "나는 내 아버지 집에 있어야 하는 것을 모르셨습니까"(루가 2:49)라는 뜻밖의 말을 듣게 됩니다. 마리아는 아들의 이 말이 무슨 뜻인지는 알 수 없었지만 "이 모든 일을 마음속에 간직하였"(루가 2:51)던 것입니다.

이처럼 마리아는 데카르트의 말처럼 '생각하는 인간'의 원형이며 파스칼의 표현처럼 '상한 갈대'(마태 12:20)의 나약함을 지닌 인간에 지나지 않으나, 생각하는 데에 따라서는 하느님의 아들을 포용할 수 있는 위대함을 지닌 '생각하는 갈대'였던 것입니다.

마리아는 하느님의 아들인 예수를 낳았을 뿐만 아니라 예수를 하느님의 아들로 키웠습니다. 신중하게 마음에 깊이 새기고 오래 간직하는 마음으로……. 마리아, 우리 성모님의 위대함은 바로 여기에 있는 것입니다.

루가 1:26 - 38

날카로운
　　　첫 키스의 추억

이심전심

너는 내가 사랑하는 아들, 내 마음에 드는 아들이다.

서산대사[1520~1604]는 조선이 낳은 최고의 고승입니다. 이분은 임진 왜란이 일어나자 73세의 노구로 승병 1천5백 명을 모집하여 서울 수복에 앞장선 호국불교의 아버지이기도 합니다. 또한 『선가귀감』 이라는 수도자들의 교과서로 일컬어지는 명저를 저술한 근대불교 최고의 스승이기도 합니다.

서산대사는 이 책에서 다음과 같이 말씀하셨습니다.

부처님이 마음을 전하는 것은 선지[禪旨]가 되고 가르치는 것은 교문[敎門]이 되었다. 그러므로 선은 부처님의 마음이고, 교는 부처 님의 말씀이다.

『선가귀감』의 핵심이 되는 이 말은 석가께서 일찍이 영산회에서 설법을 하시다가 허공에서 떨어지는 꽃을 들어 그 의미를 물으셨는데, 다른 제자들은 침묵하였지만 유독 가섭만이 빙그레 미소를 지어 보인 것에서 출발한 것으로, 부처님은 이렇게 말씀하셨습니다.

"이제부터 나의 마음을 가섭에게 전한다."

말이나 글에 의지하지 아니하고 마음에서 마음으로 전한다는 '이심전심以心傳心'이란 말은 바로 여기서부터 비롯되었던 것입니다.

부처님은 살아생전 8만에 이르는 방대한 설법을 하셨습니다. 그러나 부처님의 마음을 깨달은 사람은 한 사람, 가섭뿐이었습니다.

예수님의 생애를 기록한 성서 중에서 가장 장엄한 장면은 바로 주님께서 요한으로부터 세례를 받는 장면일 것입니다. 우리가 삼위일체로 믿고 있는 성부이신 하느님과 성자이신 예수님과 성령이신 하느님의 영이 함께 한자리에서 일치하여 나타나는 장면은 주님께서 세례를 받는 이 한 장면뿐입니다. 성자이신 예수님이 세례를 받는 순간 성령이신 하느님의 영은 열린 하늘에서 비둘기 형상으로 내려오십니다. 또한 성부께서 "너는 내가 사랑하는 아들, 내 마음에 드는 아들이다"라는 말씀으로 현존하고 계십니다.

하느님께서는 한 처음에 말씀으로 하늘과 땅을 지어냄으로써 창세기創世記를 하시지만, 그분의 아들인 예수님에게 성령을 보내시고 '내 마음에 드는 아들'이라고 보증함으로써 이제야말로 하느님의 영이 깃든 창인간(新人間)의 역사가 시작되는 것입니다. 그러므로 예수님께서 세례를 받는 이 장면이야말로 하늘과 땅이 갈라지는 것이 아니라 합쳐지며, 하느님과 인간이 하나의 접점을 이루는 극치의 장면인 것입니다.

하느님은 예수님에게 '너는 내 마음에 드는 아들'이라고 말씀하심으로써 부처님이 가섭에게 자신의 마음을 전해주셨듯이 하느님께서 자신의 마음을 주님에게 전하셨음을 알게 하십니다. 우리가 예수님을 하느님이라고 믿는 것은 바로 예수님께서 하느님의 마음을 전해 받았기 때문입니다. 그분을 믿는 우리들도 예수님처럼 그분의 마음속으로 들어가야 합니다.

서산대사는 이렇게 말씀하셨습니다.

불경을 보되 자기 마음속으로 돌이켜봄이 없다면 비록 팔만 대장경을 다 보고 외운다 하더라도 소용이 없을 것이다.

마찬가지로 성경을 보되 다만 이를 가르침이나 율법으로만 생각하고 마음으로 보지 못한다면 아무런 소용이 없을 것입니다. 예수님의 마음, 그 성심(聖心)의 마음이야말로 우리가 하느님과 일치를 이루는 '알파요, 오메가'인 것입니다.

루가 3:15-16, 21-22

맛 좋은 포도주

이 좋은 포도주가 아직까지 있으니 웬일이오!

예수님처럼 기적을 많이 행했던 사람이 있을지요. 귀머거리의 귀를 열어주셨는가 하면 장님의 눈을 뜨게 해주셨습니다. 중풍에 걸린 사람을 고쳐주고 악령 들린 사람들에게서 마귀를 몰아내셨습니다. 오그라진 병자의 손을 고쳐주셨는가 하면 나병에 걸린 환자들의 피부를 깨끗이 고쳐주셨습니다. 굶주린 군중 5천 명을 빵 다섯 개와 물고기 두 마리로 배불리 먹이셨으며, 마침내는 라자로에게 "라자로야, 나오너라"(요한 11:43)라고 외치심으로써 죽은 자를 살리기까지 하셨습니다.

그렇다면 이런 모든 기적은 예수님께서 자신이 하느님의 아들인 그리스도라는 사실을 증명하기 위한 유일한 수단이셨을까요. 만약 그것이 사실이라면 주님은 한갓 데이비드 카퍼필드와 같은 마술사에 지나지 않을 것입니다. 주님은 병자들을 보면 가엾고, 가난한 사람들을 보면 불쌍하고, 죽은 사람을 보면 눈물을 흘리실 정도로(요한 11:35) 우리 인간을 사랑하셨습니다.

예수님께서 그 많은 기적을 베푼 것은 가엾은 우리를 사랑하셨기 때문이지, 자신이 하느님의 아들임을 나타내 보이기 위해서가 아니었습니다.

그럼에도 불구하고 우리는 그분을 믿지 않았습니다. 예수님께 하느님의 인정을 받았다는 표가 될 만한 기적을 보여달라던 유다인(마태 16장)들처럼 우리는 예수님께 끊임없이 더 많은 기적을 요구했을 뿐입니다. 그리하여 마침내, 예수님께서 스스로 십자가에 못 박혀 돌아가셨다가 사흘 만에 부활하심으로써 주님의 기적은 완성되었습니다.

그런데 그 많은 기적을 베푸셨던 주님께서 최초로 행하셨던 첫 번째 기적은 조금 의아합니다. 죽은 사람을 살리거나 앉은뱅이를 일으켜 세우는 극적인 것이 아니라 가나에 있었던 혼인잔치에서 겨우 여섯 동이의 물을 포도주로 바꾼 것에 지나지 않기 때문입니다. 십자가에 못 박혀 돌아가셨다가 사흘 만에 부활하여 '부활'을 최고의 믿음으로 삼고 있는 우리에게 보여주신 최초의 기적이 물을 포도주로 바꾸는 하찮은 것이라니……. 하지만 과연 그럴까요. 물을 포도주로 바꾸는, 주님께서 행하신 최초의 기적이 그토록 사소한 기적이었을까요. 아닙니다. 주님께서는 물을 포도주로 만든 이 기적에서부터 인간을 가난과 병과 죽음에서 일어나게 하시는 기적을 발전시켜나가셨습니다.

그렇습니다. 물을 포도주로 바꾸는 이 일상의 기적이야말로 우리들 신앙의 첫발인 것입니다. 그분을 믿기 전에 우리는 물이었습니다. 주님의 항아리에 가득 채워진 물이었습니다. 주님께서 "이제는 퍼서 잔치 맡은 이에게 갖다주어라"(요한 2:8)라고 하시자 우리는 어느새 물에서 포도주로 변해 있었습니다. 그러나 과연 그러한지요. 우리가 주님에 의해서 포도주로 변하였는지요. 포도주로 변하여 사람들이 우리를 마시고 취해 "이 맛있는 포도주가 도대체 웬일이오!"라는 찬사를 듣게 하였는지요. 우리는 그분의 항아리에 담기긴 했지만 여전히 물도 아니고 포도주도 아닌 미지근한 상태인 채 그 어떤 사람도 취하지 못하게 하는 맹물은 아닌지요.

주님, 우리를 더 많이 변하게 하여주소서. 그리하여 이 고통받는 시대가 풍요한 혼인잔치가 될 수 있도록 주님, 우리를 더 맛좋은 포도주로 변화시켜주소서.

요한 2:1-11

존경하는 데오필로님

저자로부터 데오필로에게

「루가복음」과 「사도행전」을 쓴 사람으로 알려져 있는 루가는 원래 의사로서 바울로가 순교할 때 그를 지켜본 유일한 사람으로 알려져 있습니다. 루가는 평생을 미혼으로 지냈으며 84세를 일기로 세상을 떠났다고 전해오고 있습니다.

루가가 쓴 복음서와 「사도행전」은 모두 특이하게도 '존경하는 데오필로님'으로 시작하는, 사람에게 편지를 보내는 형식을 취하고 있습니다. 그런 의미에서 「루가복음」과 「사도행전」은 일종의 서간문이라고 말할 수 있을 것입니다. 비록 루가는 주님의 모습을 자신의 눈으로 직접 본 사람은 아니었지만 자신이 체험하고 전해들은 생생한 말씀들이 '틀림없는 사실'이라는 확신을 갖고 있었으며, 이러한 사실을 어떻게 해서든 기록으로 남겨야 한다고 생각하였습니다.

루가가 자신의 자전적인 고백을 들어줄 대상으로 선택한 데오필로에 대해서 오늘날 알려진 바는 없습니다.

'데오필로'는 '하느님의 벗'이라는 뜻을 지니고 있는 고유명사이지만 앞에 '존경하는'이라는 존칭을 사용하고, 또한 '각하'라는 경어를 사용한 것을 봐서 데오필로는 루가가 살았던 시절의 장관과 같은 고위 관리이거나 아니면 마음속으로 존경하고 있었던 친구 중의 한 사람인 것으로 추측됩니다.

어쨌든 루가는 자신의 생생한 하느님 체험을 누군가에게 털어놓지 않으면 견딜 수 없을 것 같은 심정으로 편지 형식을 빌려 데오필로에게 기록하고 있는 것입니다.

그렇게 보면 루가가 자신의 친구인 데오필로에게 보낸 그 두 장의 긴 편지가 하나는 복음이 되었고 또 하나는 「사도행전」이 되었던 것입니다.

우리도 루가와 다름이 없습니다. 우리도 루가처럼 주님을 직접 본 사람은 아니지만 주님이야말로 우리의 구세주이며 우리가 '이미 듣고 배운 것들이 틀림없는 사실'이라는 진리를 분명히 알고 있습니다.

따라서 우리도 루가처럼 친구와 이웃들에게 내가 체험한 생생한 하느님을 선포해야 할 의무가 있습니다.

루가는 이처럼 데오필로에게 쓴 것이지 처음부터 복음서를 쓴 것은 아닙니다. 마찬가지로 우리들이 내 가까운 이웃에게 주님에 대한 신앙고백을 전한다면 그것은 내가 쓰는 복음이 될 것입니다.

만득이는 '만득복음'을 쓸 수 있을 것입니다. 영숙이는 자신이 듣고 배운 틀림없는 사실인 자신만의 하느님을 기록함으로써 '영숙복음'을 쓸 수 있을 것입니다. 마리아 성상 앞에 서서 '마리아님, 아기예수 한 명만 더 낳아주세요'라고 기도하는 꼬마 도단이는 '도단복음'을 쓸 수 있을 것입니다.

루가는 존경하는 데오필로에게 주님에 관한 사실을 기록함으로써 의사에서 복음사가가 되었습니다. 우리들의 직업도 다양하지만 각자 체험한 하느님에 관한 사실을 고백하고 기록한다면 모두 복음사가가 될 수 있을 것입니다.

만약 우리들이 그런 고백을 하지 않는다면, 그리하여 우리들이 입을 다물면 돌들이 우리를 대신해서 소리를 지를 것입니다.(루가 19:40) 그리하여 "저 돌들이 어느 하나도 자리에 그대로 얹혀 있지 못하고 다 무너지고 말 날이 올 것입니다."(루가 21:6)

루가 1:1-4, 4:14-21

그리스도 최후의 유혹

악마는 다음 기회를 노리면서 예수를 떠나갔다.

그리스가 자랑하는 니코스 카잔차키스[1883~1957]는 『그리스인 조르바』라는 소설로 우리나라에서도 잘 알려진 사람입니다. 평생을 신[神], 영혼, 자유, 죽음과 같은 문제에 매달려온 이 작가는 1953년 『그리스도 최후의 유혹』이라는 작품을 발표합니다. 카잔차키스는 예수께서 광야로 나가서 악마의 유혹을 받았던 장면에서 이 작품의 구상을 떠올렸던 것입니다.

예수께서는 악마로부터 세 가지 유혹을 받습니다.

그 첫 번째는 '돌더러 빵이 되라고 해보라'는 황금의 유혹입니다. 물질의 유혹을 물리친 예수께 악마는 세상의 모든 왕국을 보여줌으로써 명예와 쾌락의 미끼를 던집니다. 이 유혹 역시 물리친 예수께 악마는 마지막으로 '하느님과 대등한 힘'을 가져보라고 절대권력의 덫을 던집니다. 주님께서는 악마의 이 세 가지 유혹을 물리침으로써 마침내 "회개하라, 하늘나라가 다가왔다"는 전도를 시작하게 되는 것입니다.

그러나 아직 악마의 유혹은 끝이 난 것은 아니었습니다. 「루가 복음」은 이를 분명하게 기록하고 있습니다.

"악마는 다음 기회를 노리면서 예수를 떠나갔다."

카잔차키스는 바로 이 한 구절에서 소재를 떠올린 것입니다. 그는 모든 유혹을 물리친 예수께 다음 기회를 노리면서 떠나간 악마가 도대체 무슨 방법으로 유혹하였을까 하고 깊이 생각하였던 것입니다. 물론 루가는 분명히 '다음 기회를 노렸다'고 기록하고 있지만 그다음 기회가 언제라고는 밝히지 않고 있습니다. 따라서 카잔차키스는 이다음 기회의 유혹을 작가적 상상력으로 소설화하였던 것입니다.

그는 예수께서 십자가에 못 박히셨을 때 그 고통 속에서 악마가 찾아오는 것을 마지막 유혹으로 보았습니다. 악마는 황금과 명예와 권력을 물리친 예수께 이번에는 평범한 일상생활을 보여줍니다. 예수께 마리아와의 결혼생활을 보여주면서 사랑하는 여인 마리아와 아이를 낳아 기르는 단란한 가족의 모습을 보여주는 것입니다.

카잔차키스는 이 '평범한 가족의 유혹'이야말로 최후의 유혹이라고 생각하였던 것입니다.

그리하여 인생의 말년에 이르는 70세에 『그리스도 최후의 유혹』이라는 작품을 발표하는 것입니다. 이 작품은 예수를 지나치게 인성人性으로 보았다 하여 그다음 해에 교황청으로부터 금서목록에 오릅니다.

저 역시 예수를 인간으로만 파악하려는 니코스 카잔차키스의 시각에 대해서는 동의하지 않지만 "다음 기회를 노리면서 예수를 떠나갔다"는 한 구절에서 예수께 찾아온 그 마지막 유혹이 무엇일까 생각한 그의 작가적 통찰력에 대해서는 경의를 표합니다.

이것은 우리에게도 좋은 묵상의 자료라고 생각합니다. 그리스도에게 찾아온 악마의 마지막 유혹은 도대체 무엇일까요. 한번 깊이 생각해보시기 바랍니다. 끝으로 카잔차키스의 기도를 소개하겠습니다.

나는 당신의 손에 쥐어진 활입니다.
주님, 내가 썩지 않도록 나를 당기소서.
나를 너무 세게 당기지 마소서, 주님.
나는 부러질지도 모릅니다.
나를 힘껏 당기소서, 주님.
내가 부러진들 무슨 상관이 있겠습니까.

루가 4:1-13

박씨부인전

예수께서 기도하시는 동안에 그 모습이 변하고 옷이 눈부시게 빛났다.

『박씨부인전』은 조선 후기에 나온 작자 미상의 고대소설입니다. 인조반정의 공신이자 병조판서였던 이시백[1581~1660]이 나오는 이 소설의 주인공은 바로 박씨부인입니다.

첫날밤에 박씨가 천하의 추물인 것을 알고 시백은 물론 가족들도 비웃고 욕을 합니다. 박씨는 하는 수 없이 별당을 짓고 그 속에서 홀로 살게 됩니다. 그러나 시백은 박씨의 영특함으로 마침내 장원급제를 하게 됩니다.

점차 아내의 총명함을 알게 된 이시백은 어느 날 아내가 액운이 풀려 일순간에 절세미인으로 변하는 모습을 보게 됩니다. 이에 가족들의 사랑을 받게 된 박씨부인이 마침내 호왕胡王을 물리침으로써 왕으로부터 '충렬부인'에 봉함을 받는다는 이야기인데, 이 소설의 클라이맥스는 뭐니뭐니 해도 추물에서 일순간에 절색으로 탈바꿈하는 '변신變身'에 있습니다.

이 극적인 모티프 때문에 이 소설은 그대로 TV에서 〈별당아씨〉라는 제목으로 방영되어 큰 인기를 끈 적이 있었습니다.

그러나 나는 이 소설이 단순한 이야기가 아니라고 생각합니다. 십여 년 전 어머니가 돌아가셨을 때 나는 잊을 수 없는 꿈을 꾼 적이 있습니다. 꿈속에서 어머니가 허물을 벗고 계셨는데 그 모습이 내가 아는 어머니의 모습이 아니었습니다. 늦은 나이에 나를 낳으셨으므로 어머니의 모습은 늘 할머니의 모습이었습니다.

그러나 꿈속에서 본 어머니의 모습은 아름다운 성처녀의 모습이었습니다. 어머니도 자신의 모습에 놀라고 계셨습니다.

우리들 인간은 누구나 하느님의 아들딸입니다. '낳고 죽는 일이 없고 장가들고 시집가는 일도 없는 천사들'(마태 22:30)인 것입니다. 그 천사가 '복녀福女'라는 이름으로 어느 날 내 어머니로 오셨다가 낡은 인생의 허물을 벗고 본연의 모습 그대로 돌아가신 것입니다.

베드로는 예수께서 '얼굴은 해와 같이 빛나고 옷은 빛과 같이 눈부신 모습'으로 변모하신 모습을 보았습니다. 그것이 주님의 실제 모습임을 몰랐던 베드로는 자기도 모르게 얼빠진 말이나 하게 됩니다.

우리도 마찬가지입니다.

우리도 내 아내가 실제로는 박씨부인처럼 최고의 절색임을 모르고 있습니다. 내 남편이 예수님처럼 해와 같은 얼굴과 눈부신 모습을 가진 고귀한 영혼임을 모르고 있습니다.

그보다 더 안타까운 것은 우리들이 모두 하느님으로부터 자기를 죽이면서까지 사랑받는 거룩한 존재인 것을 모르고 있다는 것입니다.

깨어나야 합니다. 베드로처럼 잠들어 있지 말고 깨어나 내 가족들 그리고 이웃들의 모습 속에 깃들어 있는 영광의 실제 모습을 꿰뚫어 보아야 할 것입니다.

루가 9 : 28 - 36

저주받은 무화과나무

만일 그때 가서도 열매를 맺지 못하면 베어버리십시오.

성서에 '무화과나무'가 처음 나오는 장면은 「창세기」입니다. 아담과 하와가 하느님이 따먹지 말라고 이르신 선악과를 먹은 후 무화과나무 잎을 따서 몸을 가렸던 것입니다. "그러자 두 사람은 눈이 밝아져 자기들이 알몸인 것을 알고 무화과나무 잎을 엮어 앞을 가렸다."(창세 3:7)

그런 의미에서 무화과나무 잎은 인간이 만든 최초의 옷이라고 말할 수 있을 것입니다. 이렇듯 인류에게 최초의 의상을 탄생케 한 무화과나무에 대해서 예수께서는 세 번씩이나 비유를 들어 말씀하고 계십니다.

처음에 주님께서는 무화과나무를 비유해서 이렇게 말씀하십니다. "무화과나무를 보고 배워라. 가지가 연해지고 잎이 돋으면 여름이 가까워진 것을 알게 된다. 이와 같이 너희도 이런 일들이 일어나는 것을 보거든 사람의 아들이 문 앞에 다가온 줄을 알아라."
(마태 24:32 - 33)

이렇게 무화과나무를 빗대어 심판의 날을 경고하신 주님께서는 보다 강해지십니다.

하느님이 열매를 맺지 못하는 무화과나무는 베어버리겠다고 하시자 예수님은 한 해만 더 맡겨달라고 말씀하십니다. 그래도 열매를 맺지 못하면 그때 가서 베어버리라고 애원하시고는 '회개하라. 회개하지 않으면 너희도 피를 흘리며 비참하게 죽을 것'이라고 경고하십니다.

그리고 세 번째로 무화과나무를 빗대어 말씀하시고 나서는 보다 강경해지십니다.

그때 예수께서는 배가 고프셔서 성 안으로 들어오시다가 무화과나무를 발견하십니다. 열매를 따먹으려 하셨지만 잎밖에 없었으므로 "이제부터 너는 영원히 열매를 맺지 못하리라"고 말씀하시자 무화과나무는 곧 말라버립니다.(마태 21:19)

예수께서 어째서 세 번씩이나 무화과나무를 빗대어 말씀하셨을까요. 그뿐 아니라 사랑 그 자체이신 예수님께서 어째서 마지막에는 저주하여 무화과나무를 말라죽게 하셨을까요.

그것은 그분을 믿는 우리가 바로 무화과나무이기 때문입니다.

무화과나무인 우리는 시대의 징표를 읽어 하느님의 나라가 가까 위옴을 선포할 의무가 있습니다. 또한 무화과나무인 우리는, 어떻게 해서든 열매를 맺게 하기 위해 우리의 둘레를 파고 거름을 주는 주님의 마지막 소원대로 쓸데없이 땅만 썩히지 말고 회개하여 열매를 맺어야 할 의무가 있습니다.

무화과나무인 우리가 거듭나서 열매를 맺지 못한다면, 그리하여 사랑에 굶주린 주님의 시장기를 채워주는 열매를 맺지 못한다면 우리는 마침내 주님으로부터 이런 절망의 말씀을 듣게 될지도 모릅니다.

"이제부터 너는 영원히 열매를 맺지 못하리라."

여러분, 우리 모두는 주님께서 심은 무화과나무입니다. 그분을 믿으면서도, 우리를 살리려는 그분의 뜨거운 사랑을 받으면서도, 우리는 여전히 잎사귀만 무성할 뿐 꽃도 피우지 못하고, 그리하여 열매를 맺지 못하고 있는 것입니다.

우리가 무화과나무에서 유화과^{有花果}나무로 바뀌지 못한다면 우리는 마침내 베어져 말라죽게 될 것입니다.

주님, 아아 사랑하는 주님, 나를 꽃피게 하소서. 그리하여 열매 맺게 하소서.

루가 13:1-9

우리를 기다리시는 아버지

집으로 돌아오는 아들을 멀리서 본 아버지는 측은한 생각이 들어
달려가 아들의 목을 끌어안고 입을 맞추었다.

영국의 시인 T.S. 엘리엇^{1888~1965}은 20세기 문학에 절대적인 영향을 준 금세기 최고의 시인입니다.

그는 "그러면 우리 갑시다. 그대와 나/지금 저녁은 마치 수술대 위에 에테르로 마취된 환자처럼/하늘을 배경으로 펼쳐져 있습니다"로 시작되는 「프루프록의 연가」로 문명^{※※}을 얻고, 유명한 "사월은 가장 잔인한 달/죽은 땅에서 라일락을 키워내고"로 시작되는 시 「황무지」로 정상을 굳혔습니다.

어렸을 때부터 그리스도교적 이상주의에 불타고 있던 가족들에게서 영향을 받은 엘리엇은 결국 그리스도교 사상가로서의 면모가 모든 시 속에 엿보입니다.

특히 56세, 비교적 말년에 쓴 『네 사중주』는 '음악의 형식을 시

에 원용해보고 싶다'고 생각해왔던 엘리엇이 실내악의 형식을 빌려 완성한, 종교적 색채가 가장 강렬한 작품입니다.

이 시집에는 다음과 같은 구절이 있습니다.

나는 나의 영혼에서 이렇게 말하였다.
조용히 기다려라. 그리고 희망 없이 기다려라.
왜냐하면 희망은 그릇된 것에 대한 희망일 것이기 때문이다.
사랑 없이 기다려라.
왜냐하면 사랑도 그릇된 사랑에 대한 사랑일 것이기 때문이다.
여기 신앙이 있다.
그러나 신앙과 사랑과 희망은 모두 기다림 속에 있는 것.

두 아들을 둔 아버지의 이야기는 성서에 나오는 에피소드 중에서 가장 유명하고 자주 인용되는 글 중 하나입니다. 방탕한 생활을 하던 작은아들이 아버지의 집으로 돌아오는 이 극적인 장면을 많은 사람들은 '돌아온 탕아'의 비유로 잘 알고 있습니다.

그런데 집으로 돌아오는 작은아들의 입장에서 보면 '돌아옴'이지만 그 아들을 맞는 아버지의 입장에서 보면 '기다림'인 것입니다. 그래서 루가는 '집으로 돌아오는 아들을 멀리서 본 아버지'라고 표현합니다.

집으로 오는 아들을 멀리서 보았다면 아버지는 언제나 어디서나 아들을 기다리고 있었던 것입니다. 그에 비하면 큰아들은 아버지와 항상 함께 있었지만 '집 가까이에서 나오는 음악 소리'를 듣고서야 아우가 돌아온 것을 알았습니다. 한마디로 형은 아우를 기다리지 않았던 것입니다. 이처럼 '멀리서 본 아버지'와 '가까이에서 본 형'의 차이는 기다림의 차이이며, 기다림의 차이는 결국 사랑의 차이인 것입니다.

사랑은 기다림입니다.

밤은 낮을 기다리고 낮은 밤을 기다립니다. 그리하여 하루가 흘러가는 것입니다. 겨울은 봄을 기다리고 봄은 겨울을 기다립니다. 그리하여 일 년이 흘러갑니다. 일 년이 흘러가서 세월이 되며 세월이 흘러가서 영원이 됩니다. 삶은 죽음을 기다리며 죽음은 삶을 기다립니다. 하느님은 인간을 기다리며 인간은 하느님을 기다립니다. 하느님은 인간을 사랑한다는 생각 없이 사랑하시고 하느님은 인간을 기다린다는 생각 없이 기다리고 계십니다. 그러므로 하느님은 사랑 그 자체이신 것입니다.

"신앙과 사랑과 희망은 모두 기다림 속에 있는 것"이라고 노래한 T.S. 엘리엇의 시처럼 전능하신 하느님과 그의 외아들 예수 그리스도를 믿는 우리들의 신앙은 결국 먼발치에서 우리를 지켜보고 기다리고 계시는 아버지의 곁으로 돌아가는 일인 것입니다. 지금 이 순간에도 아버지이신 하느님은 우리를 기다리고 계십니다.

루가 15:1-3, 11-32

I don't know how to love him

선생님, 이 여자가 간음하다가 현장에서 잡혔습니다.

지난 1998년 2월 1일, 런던에서 뮤지컬 〈지저스 크라이스트 슈퍼스타〉를 보았습니다. 영국이 낳은 앤드류 로이드 웨버라는 천재가 만든 작품이며, 그는 〈캣츠〉 〈에비타〉 〈오페라의 유령〉과 같은 명작을 만든 사람입니다. 30년가량 전세계에서 장기 공연되고 있는 〈지저스 크라이스트 슈퍼스타〉는 예수님의 생애를 록뮤지컬로 만든 기념비적 작품인데 지친 예수님을 안고 부르는 여주인공의 아리아가 유명합니다.

어떻게 그를 사랑해야 하나.
어떻게 그이 마음을 움직일 수 있을까.
지난 며칠간 나는 변했어. 정말로 변했어.

마치 난 딴사람이 된 것 같아.

어떻게 해야 하나.

그가 왜 내 마음을 끄는 것일까.

그는 다만 한 남자일 뿐인데.

전에도 나는 많은 남자를 알았어.

그도 역시 한 남자일 뿐인데…….

예수님을 향해 이렇게 사랑을 노래하는 여인은 다름 아닌 마리아 막달레나입니다. 그녀는 매춘부였으며 '행실이 나쁜 여자'(루가 7:37)였습니다. 그녀는 충격적인 장면으로 성서에 첫 등장합니다. 성서에 많은 죄인들이 나오지만 그녀야말로 가장 무서운 죄인일 것입니다. 왜냐하면 그녀는 '간음하다가 현장에서 잡힌' 현행범이기 때문입니다.

"그녀를 어떻게 하면 좋겠습니까" 하고 율법학자들이 물었을 때 주님은 말없이 땅바닥에 무엇인가를 쓰십니다. 저는 성서의 모든 글 중에서 이 장면을 가장 좋아합니다. 이 장면을 머릿속에 떠올리면 저는 주님의 그 넘치는 사랑에 심장이 터질 것 같습니다.

보십시오, 여러분. 그 어떤 질문에도 막힘이 없으셨던 주님이 땅바닥에 무엇인가를 쓰십니다. 주님이 무엇을 쓰셨을까요? 낙서를 하셨을까요? 아닙니다. 주님께서도 현장에서 잡힌 이 죄인을 변명해주실 그 답변이 난처하셨던 것처럼 보입니다. 주님은 이 여인을 살릴 요량으로 땅바닥에 무엇인가를 쓰시고 심사숙고하셨던 것입니다. 그 깊은 침묵이 이 여인을 살린 것입니다. 사람들이 모두 사라지자 비로소 주님은 고개를 드시고 여인에게 말씀하십니다.

"나도 네 죄를 묻지 않겠다. 어서 돌아가라."

주님, 나의 주님, 나의 하느님. 당신은 창녀를 죽음에서 구하시고 그녀에게서 일곱 마귀를 쫓아내주셨습니다. 그 이후부터 이 여인은 주님을 따라다니는 제자가 되었는데 주님께서 못 박혀 돌아가실 때도 십자가 곁에 있던 사람이 되고(마태 27:56), 무덤에 묻히실 때도 끝까지 지켜본 증인이었으며(마태 27:61), 부활날 아침 무덤으로 찾아왔던 첫 사람(마태 28:1)이었습니다. 그뿐인가요. 부활하신 주님께서 처음으로 나타나신 것도 바로 이 여인이었습니다.(요한 20:13-18) 주님, 당신은 누구십니까. 거리의 창녀를, 모든 제자들이 다 도망갔을 때도 자신의 무덤을 지켜보는 최후의 증인으로 변화시켰을 뿐 아니라 부활의 기쁜 소식을 처음으로 전하는 복음 전파의 성녀로 변화시킨 당신은 누구십니까. 〈지저스 크라이스트 슈퍼스타〉에 나오는 여주인공의 노래처럼 그녀를 딴사람으로 변하게 한 바로 그 남자, 당신은 도대체 누구십니까. 그녀의 탄식처럼 저 역시 당신을 어떻게 사랑해야 할지 정말 모르겠습니다.

요한 8:1-11

주님과 나는 하나

아버지와 나는 하나이다.

1912년 4월 14일, 밤 11시 40분.

영국의 사우샘프턴 항에서 뉴욕 항으로 항해를 하던 여객선 타
이타닉호는 뉴펀들랜드 해역에서 바다를 떠다니는 거대한 빙산과
충돌하였습니다. 사상 최초로 4만 톤이 넘는 호화 여객선이었던
타이타닉호는 처녀항해를 하고 있던 중이었습니다. 그리하여 타
이타닉호는 두 시간 40분 만에 침몰하고 말았습니다. 배에는 처녀
항해를 기념하기 위해서 다수의 저명인사들이 타고 있었는데 승
객 2,208명 중에서 1,513명이 대서양의 바닷물 속으로 희생되었
습니다. 인류 역사상 가장 비극적인 최대의 해난사고였지만 어린
아이와 여자, 그리고 약한 노인들을 우선 구해주고 자신들은 국가
國歌를 부르며 죽어간 수많은 영국인들의 기사도 정신은 우리에게

깊은 감동을 불러일으키고 있습니다.

그중에서도 레스토랑에 있었던 오케스트라 단원들의 실화는 유명합니다.

배가 난파되기 전까지 단원들은 승객을 위해 연주를 하고 있었습니다. 갑자기 밀어닥친 빙산으로 배는 두 조각으로 갈라졌으며 선실은 아수라장이 되었습니다. 그럼에도 불구하고 악단은 연주를 쉬지 않았습니다. 물이 무릎에 차오르기 시작할 무렵 악단은 연주를 끝내려 하였습니다. 그러나 한 바이올리니스트가 갑자기 찬송가를 연주하기 시작하였습니다.

이때 그가 연주하였던 찬송가의 제목은 바로 〈내 주를 좀더 가까이^{Nearer, My God, To Thee}〉였습니다. 그러자 다른 단원들도 자리에 앉아 함께 이 노래를 연주하였습니다. 그들은 연주를 마칠 때까지 자리를 떠나지 않았으며 마침내 바다 속으로 침몰하여 스스로 희생양이 되었던 것입니다.

침몰하는 타이타닉호에서 죽어가면서도 끝까지 연주하였던 찬송가의 내용은 다음과 같습니다.

내 주께 가까이 가려 함은
십자가 짐 같은 고통이나
내 일생 소원을 늘 찬송하면서

주님께 더 나가기 원합니다.

예수님께서는 우리에게 말씀하셨습니다.

"아버지와 나는 하나이다."

하느님 아버지와 자신이 하나라는 예수님의 말씀은 그분을 믿고 따르는 양들인 우리들도 결국 그분과 하나일 수밖에 없음을 분명하게 드러내 보이고 계십니다. 그러나 '하느님 아버지와 자신이 하나'라고 말씀하신 예수님처럼 우리들도 '주님과 나는 하나이다'라고 자신 있게 말할 수 있을까요? 우리들은 결국 주님과 하나가 되기 위해서 십자가의 고통을 지고 그분께로 좀더 가까이 나아가고 있는 불완전한 존재일 따름입니다.

우리들의 인생이란 망망한 대해를 처녀항해하는 호화 여객선에서의 삶과도 같습니다. 언제 밀어닥칠지 모르는 빙산과의 충돌도 깨닫지 못한 채 우리들은 오직 먹고 마시며 춤추는 쾌락에만 빠져 있습니다.

이 세기말적 시대에 우리가 배울 교훈은 죽어가면서까지 '내 주를 가까이, 좀더 가까이'를 연주하였던 오케스트라 단원들의 태도입니다.

죽음의 바닷물이 우리를 덮쳐온다 하더라도 우리에게는 희망이 있습니다. 영원한 생명을 주시는 주님이 계십니다. 주님과 내가 하나일 수는 없다 해도 우리들은 그분께 한 발자국이라도 좀더 가까이 갈 수 있을 것입니다. 그것이 우리들 인생의 목표인 것입니다.

요한 10:27-30

황금 머리를 가진 사람

서로 사랑하여라.
내가 너희를 사랑한 것처럼 너희도 서로 사랑하여라.

어릴 때 읽은 동화 중에 알퐁스 도데[1840~1897]가 쓴 감동적인 이야기가 있습니다. 정확하지는 않지만 대충 내용은 다음과 같습니다.

한 소년이 있었습니다. 그는 태어날 때부터 유난히 머리가 무거웠습니다. 그래서 곧잘 넘어지곤 하였습니다. 어느 날 소년이 계단에서 굴러 떨어져 그 충격으로 머리가 깨졌는데 상처를 치료하던 부모는 깜짝 놀랐습니다. 알고 보니 소년의 머리가 온통 황금으로 되어 있었기 때문입니다. 이를 본 부모는 이렇게 말합니다.

"너를 이만큼 키워줬으니 네 머리의 반을 다오."

소년은 머리의 반을 떼어주고 집을 나섰습니다. 황금 머리를 가진 청년은 그 머리 때문에 남에게 약탈당하기도 하고 온갖 사기를 당하여 머리 속의 황금을 거의 잃게 되었습니다. 그러던 어느 날 청년은 병에 걸려 죽어가는 한 여인과 사랑에 빠지게 됩니다.

어느 늦은 밤, 보석점 주인이 막 상점의 문을 닫으려는데 한 청년이 황급히 들어옵니다. 그의 머리는 온통 피로 물들어 있었는데 그 청년은 손을 펴고 피 묻은 금조각을 몇 점 내놓으면서 헐떡이며 이렇게 말하는 것이었습니다.

"제발, 이 금을 사주십시오. 도와주십시오."

이 동화는 내 어린 시절의 강한 인상으로 남아 있습니다. 자신이 가진 모든 황금을 다 남에게 주고 마침내 사랑하는 여인마저 죽어버려 절망에 빠진 채 필사적으로 몇 조각 남아 있지 않은 금을 긁어모으기 위해서 머리에서 피를 흘리던 가엾은 청년의 모습은 상상하는 것만으로도 가슴이 저려왔습니다.

주님께서는 최후의 만찬을 제자들과 함께 나누고 나서 마침내 유언을 하십니다. 이 최후의 유언이야말로 주님의 말씀 중에서 뼈 중의 뼈이며, 살 중의 살인 것입니다. 오죽하면 주님 스스로 우리에게 이렇게 말씀하시지 않습니까.

"나는 너희에게 새 계명을 주겠다."

주님이 주신 새 계명, 그것은 바로 "서로 사랑하여라"입니다.

하지만 주님, 서로 사랑하여 원수까지도 사랑하라는 주님의 말씀이 훌륭한 줄은 알겠지만 과연 사랑이 무엇인지 정말 모르겠습니다. 주님, 무엇이 사랑입니까. 사랑하면서도 사랑하는 방법을 모르는 우리들이야말로 눈뜬 장님이 아니겠습니까. 그런 우리들에게 주님은 한 가지 조건까지 내거십니다.

"내가 너희를 사랑한 것처럼 너희도 서로 사랑하여라."

우리가 서로 사랑하기 위해서는 주님이 우리를 어떻게 그리고 얼마나 사랑하셨던가를 꿰뚫어 보아야 합니다. 주님은 우리를 대신해서 아무런 죄도 없이 십자가에 못 박혀 돌아가셨습니다. 그 십자가야말로 "서로 사랑하여라"라고 새 계명을 내리신 주님이 내건 단 하나의 '사랑의 조건'인 것입니다.

십자가 없이 사랑은 이루어지지 않으며 십자가 없이 사랑은 완성되지 않습니다. 그래서 주님께서는 "나를 따르려는 사람은 누구든지 자기를 버리고 제 십자가를 지고 따라야 한다"(마태 16:24)고 말씀하시지 않습니까. 주님은 죽어가는 우리를 살리기 위해서 자신이 가진 황금을 남김없이 긁어모으고 마침내 피를 흘리시며 돌아가셨습니다.

아아, 이제야 알겠으니 어릴 때 읽은 그 동화의 주인공은 바로 주님이십니다. 피투성이 황금 머리를 가진 사람, 그 사람이야말로 예수 그리스도인 것입니다.

요한 13:31-35

그리스도 우리의 평화

나는 너희에게 평화를 주고 간다.

주님처럼 평화를 사랑하신 분이 또 있을까요.

"평화를 위하여 일하는 사람은 행복하다. 그들은 하느님의 아들이 될 것이다."(마태 5:9)

일찍이 산상설교山上說教에서 일곱 번째의 행복으로 평화를 말씀하신 주님께서는 스스로 짧은 생애를 오직 평화를 위해 일을 하시다 십자가에 못 박혀 돌아가셨습니다. 그뿐인가요.

주님께서 돌아가신 후 제자들이 무서워서 문을 닫고 있을 때 부활하신 주님께서는 들어와 한가운데 서시며 이렇게 말씀하셨습니다. "너희에게 평화가 있기를!" 그러므로 평화의 인사야말로 죽음을 물리치고 부활하신 주님의 제일성이었습니다. 그러고 나서 주님은 또 이렇게 말씀하셨습니다. "너희에게 평화가 있기를! 내 아버지께서 나를 보내신 것처럼 나도 너희를 보낸다."

그뿐이 아닙니다.

여드레 뒤에도 주님은 잠긴 문을 뚫고 들어오셔서 이렇게 인사하셨습니다. "너희에게 평화가 있기를!"

평화라니, 두려움에 떨며 다 도망쳐버린 제자들을 꾸짖기는커녕 평화의 인사를 하시다니! 바울로는 편지를 쓸 때마다 "하느님 우리 아버지와 주 예수 그리스도의 은총과 평화가 여러분과 함께"라고 인사말을 하였으며 또한 이렇게 말하고 있습니다.

"그리스도야말로 우리의 평화이십니다. 그리스도께서는 자신을 희생하여 유다인과 이방인을 하나의 새 민족으로 만들어 평화를 이룩하시고 십자가에서 죽으심으로써 둘을 한몸으로 만드셔서 하느님과 화해시키셨습니다."(에페 2:14-16)

바울로의 말처럼 그리스도야말로 우리의 참평화인 것입니다. 주님께서는 붙잡히시던 날 우리에게 마지막으로 유언을 남기셨습니다.

"나는 너희에게 평화를 주고 간다. 내 평화를 너희에게 주는 것이다. 걱정하거나 두려워하지 말라."

그렇습니다. 그리스도 없이는 우리에겐 평화가 없습니다. 평화의 기쁨을 깨뜨리는 마음을 주님은 분명히 말씀하셨습니다. 그것은 '걱정'과 '두려움'이라고. 온갖 근심, 불안, 의심 같은 걱정과 공포, 절망, 슬픔과 같은 두려움 때문이라고. 그러나 보십시오. 주님이 두려움에 떨며 문을 잠그고 있던 제자들 앞에 나타나 한가운데 서시자 제자들은 "너무 기뻐 어쩔 줄을 모르게"(요한 20:20) 되었으며, 의심과 절망에 가득 찼던 토마의 입에서 "나의 주님, 나의 하느님!"이란 신앙고백이 터져 나오게 된 것입니다.

그리스도 우리의 평화가 우리 한가운데에 서시면 우리의 두려움은 기쁨이 되며 우리의 의심과 근심은 희망으로 변해버린다는 사실을 주님께서는 분명히 보여주신 것입니다.

아아, 이제야 알겠으니 평화야말로 사랑의 열매인 것입니다.

주님, 저를 당신 평화의 도구로 삼으소서.
미움이 있는 곳에 사랑을
모욕이 있는 곳에 용서를
분열이 있는 곳에 일치를
거짓이 있는 곳에 참됨을
의혹이 있는 곳에 믿음을
절망이 있는 곳에 희망을
어둠이 있는 곳에 광명을
슬픔이 있는 곳에 기쁨을 심게 하소서.

주님, 위로받기보다는 위로하고
이해받기보다는 이해하며
사랑받기보다는 사랑하게 하소서.
자기를 줌으로써 받고
자기를 잊음으로써 찾으며
용서함으로써 용서받고
죽음으로써 영생으로 부활하게 하소서.

성 프란체스코, 〈평화의 기도〉

요한 14:23 - 29, 17:20 - 26

너희는 이 모든 일의 증인이다

이렇게 축복하시면서 그들을 떠나 하늘로 올라가셨다.

주님은 참 이상한 분이십니다. 알 수 없는 분이십니다. 고난을 받고 죽었다가 사흘 만에 다시 부활하셨으면 그만이지 이 세상에 겨우 40일만 머물러 계시다가 또다시 하늘로 올라가시다니⋯⋯. 승천하시지 않고 계속 우리와 함께 지상에 머물러 계시면 얼마나 좋았을까요.

우리 안에서, 구운 생선 한 토막도 직접 잡수시고, "자, 만져보아라" 하며 자신의 손과 발을 보여주시며 그 못자국에 손가락도 집어넣게 하시면 얼마나 좋았을까요. 주님이 우리 곁에 계셔서 직접 보고 만지고 어울릴 수 있다면, 주님과 함께 술도 마시고 노래방에 가서 노래도 부르고, 겨드랑이에 손을 넣어 간지럼도 태울 수 있을 터인데.

그런데 주님은 우리 곁을 떠나 하늘나라로 승천하셨습니다. 두 손으로 제자들을 축복하시고 마침내 구름에 싸여 보이지 않는 하늘로 승천하셨습니다.

그렇다면 주님은 왜 40일 동안이나 부활하신 모습으로 이 지상에 머무르셨던 것일까요. 아아, 이제야 알겠으니 주님께서는 자신의 부활한 실제 모습을 제자들에게 보여주심으로써 자신이 죽음을 물리치고 승리했음을 직접 보여주시기 위함이었으며, 또한 그리스도의 이름으로 회개하면 죄를 용서받는다는 기쁜 소식을 우리에게 산증거로 보여주려 하셨던 것입니다.

보십시오. 살아생전에는 자신의 입으로 단 한 번도 자신이 그리스도라고 말하지 않았던 주님께서 부활하신 뒤에 나타나셔서는 자신이 그리스도이며 죄를 용서받고 영원히 살 수 있다는 기쁜 소식을 분명히 말씀하고 있지 아니한가요.

그렇습니다. 주님은 부활하신 모습을 우리에게 보여줌으로써 우리를 진리의 증인으로 선택하신 것입니다. 그리고 증인인 우리에게 '해가 뜨는 곳에서 해가 지는 곳까지 찾아가 영원한 구원을 선포하는 거룩한 불멸의 말씀을 전하는 사명'(마르 16:22)을 주신 것입니다.

그러나 과연 그러할까요. 우리가 과연 주님의 모든 일을 증거하는 증인일까요. 땅 끝에 이르기까지 주님이 우리의 그리스도임을 선포하는 증인이라고 말할 수 있을까요. 주님을 볼 수가 없다 하여 믿지 아니하는 불신 속에 빠져 있던 토마처럼 여전히 주님을 의심하고 있지는 아니한가요.

주님은 또다시 우리 곁으로 돌아오실 것입니다. 떠나신 모습 그대로 구름을 뚫고 주님은 하늘에서 내려오실 것입니다.

우리가 보는 앞에서 하늘로 승천하신 그 순간부터 시작된 그리스도의 왕국은 그분께서 다시 강림하여 내려오시는 순간 완성될 것입니다. 우리가 보는 이 세상은 사라져버리고 있습니다.(I 고린 7:31) 우리가 보는 이 미완성의 세상이 주님이 다시 오실 왕국으로 완성될 때까지 주님, 우리를 당신 왕국을 전하는 증인이 되게 하소서. 우리들이 입을 다물면 돌들이라도 소리지를 것입니다.(루가 19:40)

주님의 이름으로 오시는 임금이시여, 찬미받으소서. 하늘에는 평화, 하느님께 영광!

루가 24:46-53

주님의 숨이신 성령

예수께서는 그들에게 숨을 내쉬시며 말씀을 계속하셨다.

"성령을 받아라."

『지킬 박사와 하이드』는 영국의 로버트 스티븐슨[1850~1894]이 1886년에 쓴 특이한 소설입니다.

학식이 높고 인격자인 지킬 박사는 선과 악의 모순된 이중성을 분리시킬 수 있다고 생각하여 약을 만들어 복용한 결과 악성惡性을 지닌 하이드로 변신하게 됩니다. 마침내 하이드는 살인을 하고 쫓겨 체포되는 순간 자살을 하며 모든 사실을 유서로 고백한다는 내용인데, 이 소설을 영상화한 영화에서는 명배우 스펜서 트레이시가 출연합니다. 이 영화의 압권은 지킬 박사가 약을 먹고 악인 하이드로 혹은 하이드에서 지킬 박사로 변신하는 과정입니다. 고속촬영으로 몇 겹의 얼굴로 변화하는 모습은 인간이 지닌 이중인격을 날카롭게 묘사하고 있습니다.

저는 1987년 6월 영세를 받았습니다. 제대로 교리 공부도 받지 않고 세례를 받았던 저는 그 무렵 한 여관에서 시나리오 작업을 하고 있었습니다. 함께 작업을 하던 배창호 감독은 신앙심이 돈독해서 늘 현장에 성경을 놓고 있었는데 저는 그곳에서 영세를 받은 후 처음으로 성경을 읽기 시작하였습니다.

그때 저는 놀라운 사실을 체험하였습니다. 성경의 한마디 한마디가 제 가슴에 와닿는 것이었습니다. 그전에는 먼 바다의 모래사장을 핥는 파도 소리처럼 아득하게만 느껴지던 성경의 말씀들이 제 가슴 한복판까지 해일처럼 밀려들어와 영혼을 적시는 느낌이었습니다. 저는 그때 주님의 성령이 제 마음에 오셨음을 알게 되었습니다.

그때였습니다. 우연히 거울을 본 순간 저는 제 얼굴이 변화하는 놀라운 모습을 보았습니다. 제 얼굴이 서너 개의 표정을 거쳐 마치 하이드에서 지킬 박사로 변하는 영화 속의 한 장면으로 변화하는 것이었습니다.

이 신앙 체험을 지금껏 아무에게도 털어놓은 적이 없습니다. 그러나 이제야 고백하여도 좋을 때가 되었다고 생각합니다.

주님께서 부활하신 후 처음으로 나타나셨던 첫 장면을 「요한복음」 사가는 독특하게 묘사하고 있습니다.

"예수께서는 그들에게 숨을 내쉬시며 말씀을 계속하셨다. '성령을 받아라.'"

숨을 내쉬다니. 그렇다면 부활하신 주님은 한 번도 숨을 쉬지 않다가 그 장면에서만 숨을 내쉬었단 말인가. 아닙니다. 요한은 성령이야말로 '주님의 숨'이심을 암시하고 있는 것입니다. 하느님은 진흙으로 사람을 빚어 만드시고 코에 입김을 넣으시어 인간을 창조하셨습니다. 마찬가지로 하느님의 외아들이신 주님은 자신이 십자가에 못 박혀 죽으심으로써 우리들 몸에 숨을 불어넣으시어 신인간을 창조한 것입니다.

그렇습니다. 주님의 숨이야말로 성령이신 것입니다.

그러므로 이제부터 우리는 "내가 사는 것이 아니라 그리스도가 내 안에서 사시는 것입니다."(갈라 2:20)

죄악의 물에 빠져 죽어가는 저를 건져내어 인공호흡의 성령으로 살려내신 주님, 저의 하느님. 주님이 저를 지킬 박사로 만들어 주셨사오나 아직 제 마음엔 하이드가 날뛰고 있습니다. 악마 하이드가 '키로 밀을 까부르듯이' 저를 제멋대로 다루고 있사오니 제가 믿음을 잃지 않도록 기도하여주소서.(루가 22:31) 그리하여 마침내 제 마음속에 사랑, 기쁨, 평화, 인내, 친절, 선행, 진실, 온유 그리고 절제와 같은 성령의 열매가 맺어지게 하소서.(갈라 5:22)

요한 20:19-23

반대받는 표적

너희는 나 때문에 모든 사람에게 미움을 받을 것이다.

1917년 5월 13일. 포르투갈의 작은 마을 파티마에서는 루치아와 그의 사촌남매인 히야친타와 프란치스코가 양들에게 풀을 주기 위해서 목초지로 가다가 성모님을 첫 번째로 만나게 됩니다. 이것이 20세기 초에 나타나신 유명한 성모님의 발현으로 우리는 흔히 이를 '파티마의 성모'라고 부릅니다.

파티마의 성모님은 세 어린 목동에게 속죄와 회개, 로사리오 기도를 자주 바칠 것과 기도와 고행을 바칠 것, 성직자를 위해 기도할 것을 당부하시고 묵주기도를 할 때 사용하는 구원의 기도를 직접 가르쳐주셨습니다.

"예수님. 저희 죄를 용서하시며 저희를 지옥불에서 구하시고, 연옥 영혼을 돌보시며 가장 버림받은 영혼을 돌보소서."

그 세 목동 중 가장 연장자였던 루치아 수녀의 회고록을 보면 그녀가 가장 고통스러워했던 것은 뜻밖에도 가족들의 멸시와 모욕이었습니다.

독실한 가톨릭 신자인 엄마와 언니들이었지만 루치아가 성모님을 만났다는 얘기를 하자 햇빛을 볼 수 없는 캄캄한 방에 가두겠다고 위협하였으며, 심지어 엄마는 빗자루나 난롯가에 있던 장작개비로 루치아를 호되게 때리면서 거짓말을 고백하라고 다그치기도 했습니다.

참으로 이상한 일이 아닐 수 없습니다.

누구보다 성모님 공경에 열심이었던 가족들이 실제로 성모님이 자신의 딸 앞에 나타났음에도 불구하고 합심해서 딸과 동생을 구박하는 박해자가 되고 만 것입니다.

주님께서 갓 태어나 정결예식을 치르기 위해서 아기예수를 성전에 바치려 하였을 때 시므온은 아기예수를 보고는 성모님께 이렇게 예언하였습니다.

"이 아기는 수많은 이스라엘 백성을 넘어뜨리기도 하고 일으키기도 할 분이십니다. 이 아기는 많은 사람들의 반대를 받는 표적이 되어 당신의 마음은 예리한 칼에 찔리듯 아플 것입니다. 그러나 그는 반대자들의 숨은 생각을 드러나게 할 것입니다."(루가 2:34-35)

시므온의 예언은 그대로 적중하였습니다. 아기예수는 이 세상의 반대받는 표적이 되어 온갖 비난과 모욕, 멸시와 고문 중에서 마침내는 십자가에 못 박혀 돌아가시게 되었던 것입니다. 그것은 주님께서 숨은 생각을 드러나게 하는 진리의 빛이기 때문입니다. 어둠은 빛에 의해서 그 정체를 드러낼 수밖에 없으며 거짓은 진실에 의해서 그 진상이 드러나게 되는 것입니다. 따라서 예수님의 존재 자체가 반대자들에게는 고통이고 고문이며 또 하나의 형벌이 되는 것입니다. 예수 그리스도가 십자가에 달렸다는 것은 반대자들에게는 아니꼽고 비위에 거슬리며 위선적으로 보여집니다. 또 예수님이 십자가에 달려서 죄인으로 죽어가는 모습은 반대자들에게 어리석게까지 보이는 것입니다.(I 고린 1:23) 따라서 주님을 따르는 길은 스스로 반대받는 표적이 될 수밖에 없는 것입니다.

청년 박종철 군을 고문하던 네 명의 경찰 중 셋은 주일마다 교회에 나가서 하느님을 찬양하던 독실한 기독교 신자란 말을 들었습니다. 그들은 자신들의 고문에 의해 죽어간 그 청년이 실은 살아 계신 주님의 다른 모습임을 몰랐던 것입니다.

주의하십시오. 성모님을 찬양하기 위해서 딸을 매질하던 루치아 수녀님의 어머니처럼 우리들의 손에도 주님을 때리던 그 피 묻은 고문의 채찍이 들려 있는지도 모르는 일입니다.

마태 10:17 - 22

너도 가서 그렇게 하여라

어떤 율법교사가 일어서서 예수의 속을 떠보려고
"선생님, 제가 무슨 일을 해야 영원한 생명을 얻을 수 있겠습니까?" 하고 물었다.

추사 김정희$^{1786\sim1856}$는 우리나라가 낳은 최고의 서예가이자 사상가입니다.

그가 태어났던 시절은 조선왕조의 절대이념이었던 성리학이 근본을 상실하여 현실과 유리되었을 뿐 아니라 학문 자체가 공허하게 되어서 한갓 공론에만 그치고 말았던 시대였습니다.

이에 불만을 품은 김정희는 1809년 24세의 나이로 사신의 일행으로 북경에 들어가 당시 중국의 거인이었던 옹방강과 완원의 가르침을 받고 크게 깨우치게 됩니다.

김정희가 이들에게서 배운 것은 '실사구시^{實事求是}'의 정신이었습니다. '실제 있는 일에서 올바른 이치를 찾는다'는 실사구시의 사상을 김정희는 스스로 이렇게 설명하고 있습니다.

"만약 학문을 하는 데 있어서 실제로 있지도 않는 것으로써 일을 삼아서 다만 속이 텅 비고 엉성한 잔꾀로써 방법을 삼는다거나 그 올바른 이치를 찾지 않고 다만 잘못 얻어들은 말로써 주장을 삼는다면 이는 성현의 길에 어긋나는 일인 것이다."

공허한 이론에서 학문의 길을 찾을 것이 아니라 실제로 존재하는 현실에서 학문의 길을 찾음을 김정희는 '실학╏╏'이라고 표현하였습니다. 따라서 김정희는 공허한 이론을 숭상하는 것이 학문의 길이 아니라 가르침을 몸소 실천하는 것이 진정한 의미의 학문이라고 주장하였습니다. 그리하여 김정희는 다음과 같이 말하였습니다.

"다만 넓게 배우고 힘써 실행할 것이니 오로지 '실제 있는 일에서부터 올바른 이치를 찾는다'는 이 한마디의 말을 기본으로 삼아서 이를 실천하는 것이 좋을 것이다."

우리는 예수 그리스도를 믿는 기독교인입니다. 우리들은 끊임없이 예수님을 향해 질문을 던지고 있습니다. 그러나 주님을 향해 던지는 질문의 정답을 우리는 이미 알고 있는 경우가 많이 있습니다. 주님을 향한 우리들의 질문은 대부분 '예수의 속을 떠보려는' 율법교사와 '짐짓 자기가 옳다는 것을 드러내려는' 율법교사의 질문과 다르지 않기 때문입니다.

우리들은 이미 잘 알고 있습니다. 무엇이 사랑인지, 어떻게 해야 영원한 생명을 얻는지, 주님을 기쁘게 해드리는 일이 무엇인지.

그럼에도 불구하고 우리들은 끊임없이 주님을 떠보기 위해서, 자기가 옳음을 드러내 보이기 위해서 공허한 질문을 던지고 있는 것입니다.

'아는 것'과 '행하는 것'은 근본적으로 차이가 있습니다.

주님께서 우리들에게 대답해주시는 것은 오직 한 가지뿐입니다.

"그대로 실천하여라. 그러면 살 수 있다."

"너도 가서 그렇게 하여라."

아는 체하는 우리들에게 주님께서 진정으로 강조한 것은 '너도 가서 그렇게 하여라'라는 실행의 믿음뿐인 것입니다. 주님께서는 '너도 가서 그렇게 하여라'라는 자신의 말씀처럼 그곳에 가셔서 십자가에 못 박혀 돌아가셨던 것입니다.

따라서 학문의 길이란 공허한 이론을 숭상하는 것이 아니라 옛 성인의 가르침을 몸소 실천하는 것에 있다고 주장한 김정희의 '실사구시' 정신이야말로 오늘을 사는 우리가 본받아야 할 참믿음의 정신인 것입니다.

그렇습니다. 행함이 없는 믿음은 산 믿음이 아니라 죽은 믿음인 것입니다.

루가 10:25-37

마리아의 교회로 돌아오너라

마르타, 마르타, 너는 많은 일에 다 마음을 쓰며 걱정하지만
실상 필요한 것은 한 가지뿐이다.

성경에 보면 주님께서 특별히 사랑하셨던 한 가족이 나옵니다.
요한은 이렇게 표현하고 있습니다.

"예수께서는 마르타와 그 여동생과 라자로를 사랑하고 계셨
다.(요한 11:5)

마르타와 그녀의 여동생 마리아 그리고 오빠 라자로에 대한 주
님의 각별했던 사랑은 우리들에게 많은 것을 생각하게 합니다.

주님은 라자로가 죽자 눈물까지 흘리셨습니다.(요한 11:35) 그리
고 직접 무덤까지 찾아가 "라자로야, 나오너라" 하고 죽은 라자로
를 살려주시기까지 하십니다. 그러나 주님을 사랑했던 마르타와
그의 동생 마리아 자매의 모습에는 너무나 많은 차이가 있습니다.

언니 마르타는 적극적이고 행동적인 반면 동생 마리아는 소극

적이고 내성적이었습니다. 마르타는 주님이 오신다는 소식을 들으면 미리 마중을 나가지만 마리아는 집에서 기다리고 있다가 주님이 부르신다는 말을 듣고서야 벌떡 일어나 예수께 달려갑니다.(요한 11:28) 언니 마르타는 주님께 드릴 음식을 만들고 시중을 드느라 경황이 없었지만 마리아는 주님의 발치에 앉아서 주님의 말씀만 듣고 있었습니다. 마르타의 눈으로 보면 동생 마리아는 얄체였던 것입니다. 동생이 얄미워 마르타는 주님께 마리아더러 일을 좀 거들어주라고 말해달라고 떼를 씁니다. 그러나 주님의 대답은 뜻밖입니다.

"마르타, 마르타(주님은 두 번이나 부르십니다), 너는 많은 일에 다 마음을 쓰며 걱정하지만 실상 필요한 것은 한 가지뿐이다. 마리아는 참 좋은 몫을 택했다. 그것을 빼앗아서는 안 된다."

주님은 자신의 발치에 다가앉아서 말씀을 듣고 있는 마리아야말로 참 좋은 몫을 택했다고 분명히 못 박고 있습니다.

주님은 여인을 시중드는 일에 정신이 없는 봉사자나 보조자로만 생각지 않으셨습니다. 주님은 여인을 자신의 가까이에 앉아 말씀을 듣는 완전한 제자로 받아들이셨던 것입니다. 「요한복음」에 보면 마르타가 시중을 들고 있는 사이에 동생 마리아는 주님의 발에 향유를 붓고 머리털로 그 발을 닦아드립니다.

이러한 마리아의 행동은 언니 마르타의 눈으로 보면 얄체처럼 보이지만 배반자 유다의 눈으로 보면 사치요, 위선적으로 보일 뿐입니다. 좋은 몫을 택했으니 그것을 빼앗아서는 안 된다고 마르타에게 말씀하신 주님은 이번에는 유다에게 이렇게 말씀하십니다.

"이 여자 일에 참견하지 마라." (요한 12:7)

오늘날 우리들의 교회는 주님을 위해 시중을 들고 봉사를 하던 언니 마르타의 태도를 닮아가고 있습니다. 주님을 위해 행사를 열고 봉사를 하고 외향적인 형식에 매달려 많은 세상일에 다 마음을 쓰면서도 마리아처럼 주님의 말씀을 귀담아듣고 죽어가는 그분의 발에 향유를 붓고 그것을 닦아드리는 기도와 희생 그리고 드러나지 않는 헌신과 가난한 마음에 대해서는 소홀히 하고 있는 것 같습니다. 오늘날 이러한 교회를 향해 주님께서는 이렇게 말씀하고 계실지도 모릅니다.

"교회여, 마르타의 교회여, 너는 많은 일에 다 마음을 쓰면서 걱정을 하고 있구나. 너는 너무 물질적이며 청빈을 잊고 있구나. 너는 기도보다는 행사에, 말씀보다는 형식에 치우치고 있구나. 내 곁으로 다가오너라. 너는 내 곁에서 너무 멀리 떨어져 있구나. 이제부터라도 내가 하는 말을 귀담아듣거라. 필요한 것은 오직 이 한 가지뿐인 것이다. 참 좋은 몫, 마리아의 교회로 돌아오거라."

루가 10:38-42

하늘에 계신 우리 아버지

아버지, 온 세상이 아버지를 하느님으로 받들게 하시며
아버지의 나라가 오게 하소서.

1961년 4월 12일.

소련의 보스토크 1호는 유리 가가린[1934~1968]을 태우고 한 시간 48분
만에 지구의 상공을 한 바퀴 일주함으로써 인류 최초의 우주비행
에 성공하였습니다. 이때 우주에서 본 지구의 감상을 가가린은 이
렇게 표현했습니다.

"지구는 아름다운 초록별이다."

그리고 가가린은 다시 말하였습니다.

"하늘 어디서도 하느님은 보이지 않는다."

그로부터 7년 뒤인 1968년 비행훈련 중 제트훈련기가 추락하여
사망한 유리 가가린의 유해는 모스크바의 크렘린 성벽에 묻혔습
니다.

예수께서는 제자들이 기도를 가르쳐달라고 말하였을 때 친히 '하늘에 계신 우리 아버지'로 시작되는 기도를 가르쳐주셨습니다. 따라서 주님께서 가르쳐주신 '주님의 기도'야말로 기도 중의 기도라고 말할 수 있을 것입니다.

그러나 기도의 시작 부분 '하늘에 계신 우리 아버지'라는 구절로 인해 최초의 우주비행사 가가린이 '하늘 어디에서도 하느님은 보이지 않는다'고 농담 아닌 농담을 하였던 것처럼, 우리가 드리는 기도도 우리와는 멀리 떨어져 하늘에 살고 계신 하느님에게 외우는 형식적인 주문이 되고 있습니다.

유명한 샹송 〈고엽〉의 작사가인 프랑스의 시인 자크 프레베르는 이렇게 노래하였습니다.

하늘에 계신 아버지.
그냥 그곳에 그렇게 머물러 계십시오.
우리는 이 헐벗은 땅에 머물러 살겠나이다.
그러니 그곳에서 우리를 참견하지 마십시오.

이 우스꽝스러운 시처럼 우리들도 하느님을 우리와 상관없는 '가까이 하기엔 너무나 먼 당신'의 신화적 존재로 생각하고 있는 것입니다. 따라서 하느님에게 드리는 우리의 기도는 하느님과 벌이는 홍정이 되거나 하느님을 향해 명령하는 독재적인 기도가 되는 경우가 많이 있습니다.

이러한 우리들의 마음을 알고 계시는 주님은, 하느님은 하늘에 계신 분이 아니라 한밤중 아이들과 함께 잠자리에 들어 있는 우리들의 친구이자 이웃이라고 하셨습니다. 하느님께 드리는 기도는 아이처럼 귀찮게 졸라대고 자꾸 문을 두드리고 떼를 쓰는 일이라고 하셨습니다.

구약성서에도 하느님과 싸워 이긴 야곱의 이야기가 나옵니다. 야곱은 하느님과 동이 틀 때까지 씨름을 합니다. 하느님은 야곱을 물리치기 위해 엉덩이뼈를 칩니다. 때문에 야곱은 환도뼈까지 다치게 됩니다. 그러나 야곱은 자기에게 복을 빌어주지 않으면 놓아드릴 수 없다고 떼를 씁니다.(창세 32:25-27)

마침내 하느님이 끈질긴 야곱에게 이렇게 말을 합니다.

"너는 하느님과 겨루어 이긴 사람이다. 그러니 너를 이제부터 이스라엘이라 부르겠다."

하느님과 동이 틀 때까지 싸우며 떼를 써서 마침내 하느님으로부터 '이스라엘'이라는 영광의 이름을 받아낸 야곱이야말로 예수님이 말씀하신 문을 두드리며 귀찮게 졸라대어 마침내 하느님으로부터 빵 세 개를 얻어낸 바로 그 사람이라고 말할 수 있을 것입니다.

그러니 하느님, 저를 물리치지 마십시오. 하느님께 달라붙어 싸

우고 씨름을 하고 물어뜯고 할퀴고 하느님께서 제 환도뼈를 걷어
차더라도 악착같이 붙들고 늘어져 마침내 하느님으로부터 이스라
엘이라는 영광된 이름을 얻어낸 야곱처럼 제 마음에도 주님을 향
한 열정이 뜨겁게 불타오르도록 은총 내려주소서.

루가 11:1 – 13

자기 자신마저 미워하라

심지어 자기 자신마저 미워하지 않으면 내 제자가 될 수 없다.

나르키소스는 그리스 신화에 나오는 미소년입니다. 물의 신 케피소스와 요정 사이에서 태어난 아들로, 그가 태어났을 때 예언자는 나르키소스가 자신의 모습을 보게 되면 절대로 안 된다고 하였습니다. 그가 청년이 되었을 때 모습이 너무나 아름다워 많은 처녀와 요정들이 그에게 구애를 하였습니다. 에코라는 요정은 그를 사랑한 나머지 몸이 여위어 마침내 목소리만 남아 '메아리'가 되었을 정도였습니다.

어느 날 나르키소스는 사냥을 하다가 목이 말라 물을 마시던 중 물에 비친 자신의 모습을 발견하고는 그 모습을 사랑하게 되었습니다. 자신의 그림자에 홀린 그는 한 발자국도 물가를 떠나지 못하고 마침내 그곳에서 죽었습니다. 그는 그 자리에서 수선화로 다시 피어났습니다.

1899년, 독일의 정신과 의사 네케는 이 신화를 인용해서 자기가 자기 자신을 사랑하는 심리상태를 나르시시즘이라고 명명하였습니다. 즉 나르키소스가 물속에 비친 자신의 모습에 반하였듯 많은 여성들이 거울을 보며 자기 자신의 모습에 황홀해하는 심리를 바로 나르시시즘이라고 표현하였던 것입니다. 그러나 이 말이 널리 알려진 것은 정신분석학의 창시자인 프로이트[1856~1939] 덕분입니다.

프로이트는 대부분의 유아들이 이러한 자기애[自己愛]에 빠져 있으나 성숙되면서 점점 어머니와 이성과 같은 대상애[對象愛]로 나아간다고 말하였습니다. 그런 대상애로 발전되지 못하고 계속 자기애에만 빠져 있을 때 프로이트는 정신병의 원인이 된다고 분석했던 것입니다. 인간은 누구나 자기애에 빠져 있습니다. 이것은 인간이 지닌 숙명적인 비극입니다. 불교에서는 이를 집착이라고 부르고 있습니다. 자기 문제에만 집착하는 나르시시즘은 자기 가정만을 사랑하는 가족애로 발전되며, 자기 지역만을 사랑하는 지역주의로 나아가게 마련입니다. 또한 자신이 남보다 우월하다고 생각할 때는 교만이 되고 자신만이 옳다고 생각할 때는 독선이 되는 법입니다.

주님은 열두 살 되던 해 부모님을 떠나 첫 번째 가출을 단행합니다. 어머니 마리아가 "애야, 왜 이렇게 애를 태우느냐"고 하자 소년 예수는 이렇게 말합니다. "왜 나를 찾으셨습니까. 나는 내 아버지의 집에 있어야 할 줄을 모르셨습니까."(루가 2:49) 어찌 보면 불효스러운 예수의 말씀은 자신이 있어야 할 집이 혈연으로서의 아버지의 집이 아니라 존재로서의 아버지의 집임을 분명히 드러내 보이고 계신 것입니다. 심지어는 성모님이 찾아오시자 주님은 "누가 내 어머니냐. 하늘에 계신 아버지의 뜻을 실천하는 사람이면 누구나 내 어머니다"(마태 12:48-50)라고까지 말씀하시는 것입니다.

그러한 주님은 분명히 말씀하고 계십니다.

"누구든지 자기 부모나 심지어 자기 자신마저 미워하지 않고서는 내 제자가 될 수 없다."

우리들은 모두 물에 비친 자기의 모습에 반해 물가를 떠나지 않는 수선화, 나르키소스와 같습니다. 그리하여 오직 자기가 한 말만 메아리로 듣고 있는 요정 에코와도 같습니다. 우리들은 물속에 비친, 다만 그림자에 불과한 '나'라는 절대우상을 섬기는 이교도들인 것입니다. '나'를 섬기는 이교도에서 '주님'을 섬기는 기독교인이 되기 위해서는 무엇보다 먼저 자기의 물가를 떠나야 할 것입니다. 자기의 물가를 떠나고 자기의 목소리에서 벗어나 타인의 목소리에 귀를 기울일 때, 우리의 얼굴을 십자가에 못 박힌 주님의 모습으로 돌려 주님의 모습이 물에 비친 나의 참모습이 될 때 우리는 비로소 주님의 제자가 될 수 있을 것입니다.

루가 14:25-33

20세기 문명의 비극

그래서 아버지는 재산을 갈라 두 아들에게 나누어주었다.

안토니 블룸은 1914년 출생하여 러시아와 페르시아에서 소년 시절을 보낸 후, 러시아혁명 이후 파리로 이주하여 파리대학에서 의학박사를 받은 유망한 청년 의사였습니다. 그는 제2차 세계대전 중에 군의관으로 일하다가 사제가 되어 1949년 영국으로 건너가 1966년 대주교가 된 분입니다.

저명한 가톨릭 저술가이기도 한 그분은 '비유를 통한 영적 비유'라는 부제가 붙은 『잃었던 아들』이란 책을 펴내었습니다. 이 책은 제목이 가리키듯 「루가복음」에 나오는 내용을 주제로 한 것입니다. 그는 '돌아온 탕아'의 비유를 그리스도교의 영성과 그리스도 안에서의 생활이 들어 있는 핵심이라고 말한 다음, 다음과 같은 독특한 해석을 하고 있습니다.

첫째, 작은아들이 아버지의 유산을 미리 달라고 청한 것은 아버지의 죽음을 기다릴 수 없으니 차라리 지금 이 순간 죽어달라는 일종의 살인행위라고 표현하고 있습니다. 그러면서 블룸은 이와 비슷한 살인이 오늘날 모든 가족, 모든 사회에서 거듭거듭 일어나고 있다고 말한 다음, 우리를 사랑하고, 사랑을 베푸는 이에게 우리 곁에서 사라지고 죽어야 한다고 주장하면서 사랑을 배척하는 것이야말로 죄의 본질이라고 말하고 있습니다.

둘째, 이 복음 속에 등장하는 또 하나의 아들인 큰아들에 대해서는 다음과 같이 표현하고 있습니다. 큰아들은 언제나 착한 일꾼 노릇을 해왔고 나무랄 데 없는 착한 생활을 해왔지만, 아버지와 아들은 노동이 아닌 마음, 의무가 아닌 사랑이라는 근본적인 관계로 맺어져 있음을 파악하지 못하고, 외형적으로밖에는 아버지를 모셔본 적도, 아들이 되어본 적도 없는 불행한 관계라고 말입니다.

큰아들에게, 돌아온 작은아들은 '내 동생'이 아니라 '창녀에 빠져서 아버지의 재산을 다 날려버린 당신의 아들'일 뿐입니다. 만약 돌아온 작은아들이 '당신의 아들'이 아니라 '내 동생'이라는 생각이 있었다면 큰아들은 그렇게 몰인정한 불평을 투덜거리지 않았을 것입니다.

같은 아버지를 모시는 두 아들의 태도가 이렇게 다르듯 같은 하느님 아버지를 믿는 우리들 신앙의 태도도 역시 두 아들 중에 누군가를 닮아 있게 마련인 것입니다. 우리는 과연 누구를 닮아 있는 것입니까. 아버지인 그분은 우리에게 끊임없이 명령만 내리고 우리는 종처럼 그분의 명령을 의무처럼 거행하는, 심부름꾼인 큰아들을 닮은 것입니까, 아니면 우리 자신의 쾌락을 위해서 살아 있는 아버지를 죽이는 작은아들을 닮아 있는 것입니까.

20세기의 문학과 사상에 지대한 영향을 끼친 독일의 철학자 니체[1844~1900]는 말년에 2천 년을 지배하는 기독교문명의 몰락과 허무주의의 도래를 예견하면서 인간의 왜소화를 극복하는 초인주의를 주장합니다. 그리고 다음과 같이 선언합니다.

'신은 죽었다.'

자유라는 미명하에 자신의 쾌락을 위해 죽이든, 자신의 무관심으로 죽이든, 20세기 문명의 비극은 니체의 극단적인 선언처럼 분명히 살아 계시는 하느님 아버지를 생매장하여 죽이는 그분의 아들들인 두 아들의 비극에서부터 출발하고 있는 것입니다.

그렇습니다. 오늘을 사는 우리들이야말로 그 두 아들 중의 하나인 것입니다.

루가 15 : 1-32

제 목숨을 잃는 사람은 살 것이다

제 목숨을 살리려고 하는 사람은 잃을 것이오,
나를 위하여 제 목숨을 잃는 사람은 살 것이다.

이순신[1545~1598]은 우리나라가 낳은 최고의 영웅입니다. 임진왜란 때 자신의 몸을 던져 산화함으로써 나라를 구한 이순신은 하느님이 우리 민족에게 내리신 순교자라고 말할 수 있을 것입니다.

죽기 일 년 전인 1597년, 적의 흉계와 질투 어린 동료들의 모함으로 그는 하루아침에 삼도수군통제사에서 죄인으로 전락하게 됩니다. 그가 압송되자 지나는 곳곳마다 백성들이 모여서 "사또는 우리를 두고 어디를 가십니까. 이제 우리 모두는 죽었습니다"라고 통곡하였습니다. 그는 혁혁한 공을 세워 나라를 위기에서 구하였지만 그러한 공로도 아랑곳없이 혹독한 고문으로 죽음에까지 이르게 되었습니다.

죽음 직전에서 간신히 구제된 이순신은 '백의종군'을 하게 됩니다.

마침내 우리나라의 전함이 적의 유인전술에 빠져 전멸 상태에 이르게 되자 이순신은 다시 통제사가 되어 병선 12척과 120명의 군사를 이끌고 133척의 왜군과 맞서 싸워 대승을 거두는데, 이것이 바로 '명량대첩'입니다. 1598년 11월 19일은 퇴각하기 위해 집결한 5백 척의 왜선과 마지막 결전을 치르던 바로 그날입니다. 이때 이순신은 자신의 결심을 다음과 같은 내용의 유언으로 남깁니다.

"반드시 죽으려 한다면 살 것이요, 반드시 살려 하면 죽을 것이다.必死卽生 必生卽死"

이순신은 선두에서 전군을 지휘하다가 적의 유탄에 맞습니다. 죽는 순간 그는 "싸움이 바야흐로 급하니 내가 죽었다는 말을 삼가라"는 말을 남기며 눈을 감았습니다. 운명을 지켜보던 아들이 통곡하려 하였으나 부하가 곡을 그치게 하고 시신을 가려 보이지 않게 한 다음 북을 치며 싸움을 재촉하였습니다. 군사들은 이순신이 죽지 않은 줄 알고 분전하여 최후의 승리를 거두게 되었습니다. 그리하여 '죽은 순신이 산 왜군을 물리쳤다'는 유명한 신화가 태어나게 된 것입니다.

주님은 자신이 당할 고난에 대해 미리 예고하면서 "나를 따르려는 사람은 누구든지 자기를 버리고 매일 제 십자가를 지고 따라야 한다"고 한 다음 이렇게 말씀하십니다.

"제 목숨을 살리려고 하는 사람은 잃을 것이요, 나를 위하여 제 목숨을 잃는 사람은 살 것이다."

주님의 이 말씀은 우연의 일치인 줄은 모르지만 최후의 결전을 앞두고 쓴 이순신의 유언과 내용이 같습니다. 뿐만 아니라 이순신의 일생도 주님의 생애와 비슷한 점이 많습니다. 이순신이 빛나는 무공을 올려 나라를 구하였으나 하루아침에 죄인이 되어 모진 고문을 받은 것처럼, 주님도 수많은 병자들을 고쳐주고 수많은 죄인들을 구원해주셨으나 마침내 죄인이 되어 십자가에 못 박히셨던 것입니다.

이순신에게 있어서 십자가는 조국이었습니다. 이순신은 자신의 십자가인 조국을 위해 주님의 말씀처럼 자기를 버리고 백의종군하였습니다. 또다시 싸움터로 가던 중 어머니가 돌아가셨다는 소식을 받고 잠시 들려 성복成服을 한 다음 이렇게 탄식까지 합니다.

"세상천지에 나 같은 사람이 또 있을까. 차라리 일찍 죽는 것만 같지 못하다."

조국을 위해 부모까지 버렸던 이순신의 순교정신은 일시적으로는 자신을 죽였을지는 모르지만 결국 '반드시 죽으려 한다면 살 것이다'라는 자신의 유언처럼 우리 민족이 있는 한 영원히 살아 있는 신화로 재탄생하게 되는 것입니다.

그렇습니다. '죽은 이순신이 산 이순신'으로 부활하는 것입니

다. 마치 예수께서 죽음에서 사흘 만에 부활하셔서 우리들의 그리
스도가 되신 것처럼.

루가 9:23 −26

거지와 부자

라자로라는 거지가 종기투성이의 몸으로 앉아
그 부자의 식탁에서 떨어지는 부스러기로 주린 배를 채우려고 했다.

1987년 11월 2일, 오후 네시경.

저는 일본의 오사카에 있는 작은 호텔 커피숍에 앉아 있었습니다. 그때 누군가 전화가 왔다고 알려주었습니다. 아내에게서 걸려온 국제전화였습니다.

"놀라지 마세요."

아내는 그렇게 말한 다음 방금 어머니가 돌아가셨다는 소식을 제게 알려주었습니다. 전화를 끊고 혼자서 방으로 돌아오자 갑자기 눈물이 쏟아지기 시작하였습니다. 침대 위에 무릎을 꿇고 앉아서 삼종기도를 올린 후 갖고 다니던 신약성서를 펼쳐보았습니다. 그때 펼쳐진 복음이 바로 「루가복음」의 '부자와 라자로'였습니다.

라자로라는 거지가 종기투성이 몸으로 부잣집 대문간에 앉아서 식탁에서 떨어지는 부스러기로 주린 배를 채웠듯 어머니는 돌아가실 때까지 문간방에 앉은뱅이로 앉아서 아들딸들의 무관심 속에 거지처럼 살아가셨습니다. 거지 라자로가 죽어서 천사들의 인도를 받아 아브라함의 품에 안기게 되었다는 복음을 읽자 저는 어머니의 죽음이 슬픈 일이 아니라, 살아 있을 때는 온갖 불행이란 불행은 다 겪었던 라자로가 죽어 아브라함의 품에 안겼듯 살아 있을 때에는 개들까지 몰려와 종기를 핥을 만큼 고통받던 어머니가 하느님의 품에 안기어서 편히 쉬고 있다는 안도감을 느끼게 되었던 것입니다.

또한 살아 있을 때는 종기투성이 거지였으나 죽은 후에는 천사들의 인도를 받아 안식을 취하는 라자로와 살아 있을 때는 즐겁고 호화스러운 부자였으나 죽은 후에는 연옥의 불꽃 속에서 손가락으로 물을 찍어 혀를 축여달라고 애원하는 고통받는 부자의 모습을 통해서 죽음이 삶의 종말이 아니라 또 다른 생의 시작임을 알게 되었던 것입니다.

문필가들의 수호성인이며 저명한 교회학자였던 성 프란시스코 살레지오[1567~1622]는 이렇게 말하였습니다.

"오, 슬프도다. 죽은 이에 대한 우리들의 기억은 불충분하다. 장례식 종소리가 멎음과 동시에 그들의 생각은 우리 심중에서 사라져버리는 것처럼 보인다. 죽음과 함께 없어지는 사랑은 진실한 사랑이 아니다. 성서에 의하면 참된 사랑은 죽음보다 강하다."

프랑스의 낭만파 시인 라마르틴[1790~1869]은 16년 연상의 애인이 죽자 사랑을 잃은 절망 속에서 『명상시집』이라는 서정시집을 출간합니다. 이 시집 속에서 라마르틴은 그토록 사랑했던 여인이 세월이 갈수록 잊혀지자 "망각은 죽은 이의 두 번째 수의壽衣다"라며 탄식하고 있습니다.

살레지오의 말처럼 죽은 사람이 죽음과 동시에 기억 속에서 사라지고, 라마르틴의 시처럼 죽은 사람이 우리에게 망각으로 잊혀진다고 할지라도, 죽은 사람은 살아 있는 우리를 잊지 않습니다. 연옥의 불꽃 속에서 고통받는 부자가 아브라함에게 "제발 부탁입니다. 다섯 형제에게 라자로를 보내어 이 고통스러운 곳에 오지 않도록 경고해주십시오"라고 한 것으로 죽은 영혼이 오히려 우리의 삶을 지켜보고 있음을 분명히 알 수 있습니다.

죽은 부자를 태우는 불꽃을 끄고, 물로 혀를 축이고, 건너갈 수 없는 큰 구렁텅이를 건너갈 수 있게 하는 유일한 길은 살아 있는 우리들 다섯 형제의 몫인 것입니다.

죽은 이들에게서 연옥의 고통을 덜어주는 것은 그들을 기억하고, 그들을 위해 기도하며, 그들이 받는 고통을 대신 받고 인내하며 참고 견디는 일인 것입니다.

어머니가 돌아가신 11월 2일은 '위령의 날', 전세계의 교회들이 죽은 이들을 기억하고 그들의 영혼을 위로하는 날입니다. 그 기념할 만한 날에 저를 낳은 제 어머니의 영혼을 거둬주신 우리 주 하느님, 온갖 영예와 영광을 세세이 받으시나이다. 아멘.

루가 16:19–31

신^新 산상설교

예수께서 무리를 보시고 산에 올라가 앉으시자 제자들이 곁으로 다가왔다.
예수께서는 비로소 입을 열어 이렇게 가르치셨다.

악마가 도시의 거리로 걸어 들어오자 많은 무리들이 곁으로 다
가왔다. 악마는 입을 열어 이렇게 가르치기 시작하였다.

"마음이 가난한 사람은 행복하다. 하늘나라가 그의 것이다"라는
예수의 말을 너희는 들었다. 그러나 나는 이렇게 말한다. 가난한
사람은 자신의 운명을 극복할 만한 의지가 없는 사람이다. 마음껏
착취하고 수단을 가리지 않고 소유해서 부유한 부자가 되어야 행
복한 것이다. 인간은 마음껏 지상의 풍요한 물질을 소유할 권리가
있는 것이다.

"슬퍼하는 사람은 행복하다. 그들은 위로를 받을 것이다"라는
예수의 말을 너희는 들었다. 그러나 나는 이렇게 말한다. 슬퍼하

는 사람은 게으른 사람이다. "바쁜 벌은 슬퍼할 겨를이 없다"는 서양 속담도 있지 아니한가. 인생은 즐거운 것이다. 마음껏 먹고 마시고 춤추고 노래하여라. 슬픔을 잊게 해줄 위로는 이 지상 위에 얼마든지 넘쳐흐르고 있다. 술과 마약과 도박과 섹스야말로 신이 내려준 위로가 아닐 것인가.

"온유한 사람은 행복하다. 그들은 땅을 차지할 것이다"라는 예수의 말을 너희는 들었다. 그러나 나는 이렇게 말한다. 온유한 사람은 거짓의 겸손을 가장하고 있는 위선자다. 마음껏 지배하고 명령하고 짓밟아라. 그래야만 영토를 확장하고 자신의 땅을 이 지상 위에서 차지하게 될 것이다.

"옳은 일에 주리고 목마른 사람은 행복하다. 그들은 만족할 것이다"라는 예수의 말을 너희는 들었다. 그러나 나는 이렇게 말한다. 무엇이 옳은 일이고 무엇이 정의인가. 모든 정의는 힘에서 나오는 것이다. 일찍이 모택동도 말하지 않았던가. 모든 권력은 총구에서 나온다고. 역사는 승리한 자의 기록이다. 목마른 자에게는 물 대신 고문을 주어라. 고문이야말로 인간의 불평을 잠재울 수 있는 최고의 묘약인 것이다.

"자비를 베푸는 사람은 행복하다. 그들은 자비를 입을 것이다"라는 예수의 말을 너희는 들었다. 그러나 나는 이렇게 말한다. 물론 자비를 베풀어라. 너희들이 일주일에 한 번은 교회라는 사교장에 가서 기도하는 행위를 봐서라도, 남에게 베푸는 약간의 자비는 너희들의 우월감을 만족시켜줄 것이다. 그러나 자비를 베푸는 대신 그들에게 굴욕감을 주어라. 마음으로는 절대 베풀지 말고 약간의 돈으로만 자비를 베풀어야만 그들을 노예로 만들 수 있을 것이다. 자비야말로 팁에 불과할 것이니까.

"마음이 깨끗한 사람은 행복하다. 그들은 하느님을 뵙게 될 것이다"라는 예수의 말을 너희는 들었다. 그러나 나는 이렇게 말한다. 성^性은 인간이 가진 최고의 쾌락이다. 인간은 마음껏 성의 쾌락을 즐길 권리가 있다. 순결은 불감증이며, 정결은 좌절된 성이고, 절제는 부자연스러운 것이며, 부부간의 지리한 결합은 권태로운 것이다. 노라처럼 '인형의 집'을 뛰쳐나와라. 자유로운 성만이 그대를 해방시켜줄 수 있다.

"평화를 위하여 일하는 사람과 옳은 일을 하다가 박해를 받는 사람은 행복하다. 하늘나라가 그들의 것이다"라는 예수의 말을 너희는 들었다. 그러나 나는 이렇게 말한다. 어차피 이 지상 위에 평화는 존재하지 않는다. 그것은 환상일 뿐이다. 차라리 전쟁을 준비하라. 힘없는 자에게는 응징을, 도전하는 자에게는 폭력을, 적에게는 핵폭탄을 사용하라. 폭력은 아름다운 것이다.

내 말을 들으면 너희들은 인기와 명예를 얻고 권력과 재물을 아울러 받게 될 것이다. 기뻐하고 즐거워하여라. 너희가 받을 큰 상이 이 지상에 마련되어 있다. 인생은 어차피 한순간의 찰나에 불과한 것, 지금 이 순간의 현재를 절대로 놓쳐서는 안 된다.

마태 5:1-12

살아 있는 그리스도

하느님께서는 죽은 자의 하느님이 아니라
살아 있는 자의 하느님이시라는 뜻이다.

니체는 20세기의 문학과 사상에 지대한 영향을 끼친 독일의 철학자입니다.

목사인 아버지를 다섯 살 때 사별한 니체는 청교도 집안에서 엄격한 교육을 받고 자랐으나 내적으로는 누이동생과의 근친애, 여인들과의 조숙한 성생활로 일그러진 청소년 시절을 보내게 됩니다. 기독교 신앙과 변태적인 성생활의 양자 사이에서 갈등하던 그는 2천 년 동안 유럽문명을 지배하던 기독교의 몰락과 무신론적 허무주의의 도래를 예언하고 마침내 '신은 죽었다'는 선언을 하게 됩니다. 인간을 왜소화하고 노예화하는 신神 대신 지상적이고 권력적인 의지를 가진 초인超人이야말로 인간 극복의 최고 이상이라는 니체의 사상은 그가 쓴 『차라투스트라는 이렇게 말했다』에 잘 나타나 있습니다.

20세기가 시작되던 1900년 8월 정신병으로 발광하여 죽은 니체는 이로써 기독교 정신으로 성장해온 유럽문명의 비판과 극복이라는 명제에서 최고의 찬사를 받는 사상가로 부상하게 됩니다.

전대미문의 제1, 2차 세계대전 중에 니체는 '전쟁의 신'으로까지 추앙되었으며 '신은 죽었다'는 그의 선언은 20세기 최대의 유행어가 되었을 정도였습니다.

예수의 말씀을 트집 잡기 위해서 니체적 율법학자들과 대사제들은 밀정들을 예수께 보냅니다. 그 하나는 그 당시 사용되던 동전에 새겨진 '카이사르'에게 세금을 바치는 것이 옳으냐 옳지 않으냐는 질문이었으며, 또 하나는 부활에 대한 토론을 벌이는 것이었습니다. 이 간교한 질문에 주님은 "카이사르의 것은 카이사르에게 돌려라"라는 명답과 "하느님께서는 죽은 자의 하느님이 아니라 살아 있는 자의 하느님"이라는 분명한 답변으로 그들의 흉계를 물리치십니다.

주님을 기원전에 태어나 33년을 살다가 십자가에 못 박혀 죽은 역사적인 인물로만 기억할 때 그는 다만 '죽어버린 신'에 불과할 것입니다. 그러나 주님은 천지창조 때부터 하느님과 함께 계셨으며, 잠시 사람의 몸을 취하여 우리 곁에 '사람의 아들'로 오셨지만 부활하심으로써 죽음을 물리친 구세주이십니다.

그러므로 주님은 예전에도 계셨으며 지금 우리와도 함께 계시며 앞으로도 영원히 우리 곁에 살아 계실 것입니다. 아멘. 주님의 말씀처럼 주님은 죽은 사람의 주님이 아니라 살아 있는 사람들의 주님이며, 주님 앞에 있는 우리들은 모두 살아 있는 것입니다.

니체의 말처럼 우리가 죽어버린 신을 믿는 기독교인이라면 우리는 이미 죽어 있는 시체입니다. 그러나 주님의 말씀처럼 죽은 자들 속에서 다시 살아나신 하느님을 믿는 기독교인들이라면 우리들도 주님과 마찬가지로 죽음 속에서 다시 살아난 생명의 존재일 것입니다.

'신은 죽었다'는 니체의 사상이 전 세기를 통해 휩쓸던 20세기도 이제 저물었습니다. 이제 우리는 "죽느냐 사느냐 그것이 문제로다"라는 유명한 독백을 남긴 햄릿의 입을 빌려 다음과 같은 질문을 우리 자신에게 물어봐야 할 것입니다.

"내가 믿는 예수 그리스도는 과연 죽은 그리스도인가 아니면 살아 있는 그리스도인가."

루가 20:27-38

성전을 허물어라

저 돌들이 어느 하나도 자리에 그대로 얹혀 있지 못하고
다 무너지고 말 날이 올 것이다.

안토니오 가우디[1852~1926]는 스페인이 낳은 금세기 최고의 건축가
입니다. 구리 세공인의 아들로 태어난 그는 생을 마감할 때까지
평생을 독신으로 지낸 독실한 가톨릭 신자였습니다.

가우디의 건물은 하나도 같은 것이 없었습니다. 자연의 형태 속
에서 모델을 취하고, 가톨릭에서 찾을 수 있었던 심오하고 탁월한
미적 감각을 건축에 부여했던 그는 하나의 작품을 시작할 때마다
새로운 창작 의욕이 넘쳤으며 끊임없이 상상했던 건축의 성인[聖人]
이었습니다.

'건축이야말로 희생의 길'임을 강조했던 가우디가 남긴 최고의
걸작품은 지금도 바로셀로나에서 공사가 진행되고 있는 '성 가족
교회'일 것입니다.

1882년, 가우디가 첫 돌을 한 개 쌓아올림으로써 지어지기 시작한 이 성당은 "이것은 마지막 성당이 아니라 어쩌면 새로운 형태의 최초의 성당일 것이다"라고 예언한 가우디 자신의 말처럼 종교와 예술을 솜씨 있게 접합시킨 20세기 최고의 건축물입니다.

그러나 이 성당은 백 년이 지난 지금도 완성되지 않았으며 완성될 시기가 언제인지 아무도 모릅니다. 가우디의 기념비적인 이 성당은 앞으로 수백 년 뒤에야 완성될지도 모릅니다. 아직 미완성인 가우디의 '성 가족교회'처럼 유명한 유럽의 대성당들은 수백 년 이상 걸려 완성된 경우가 많습니다. 노트르담 대성당은 2백 년이 걸렸으며, 밀라노 대성당은 250년 걸려서 완성되었습니다. 독일의 쾰른 대성당은 750년이 지났지만 아직 완성되지 못해서 준공식을 올리지 못했을 정도입니다. 예수님께서 살아생전 자주 드나드셨던 성전도 46년이나 걸려서 새로 지었던 건물이었습니다.

그러나 이 '아름다운 돌과 예물로 화려하게 꾸며진 성전'을 보시며 주님은 이렇게 말씀하십니다.

"이 성전을 허물어라. 내가 사흘 안에 다시 세우겠다."(요한 2:19)

예수님의 이 말씀은 자신의 몸이야말로 최고의 성전임을 분명히 가르치고 계신 것입니다. 그런 의미라면 750년이 흘렀으면서도 아직 완성되지 못한 쾰른 대성당도, 20세기 최고의 건축가 가우디가 아직도 창조해가고 있는 미완성의 교회도 결국 주님의 성전을 당할 수가 없으며 그분을 믿는 우리 자신의 몸을 당할 수가 없을 것입니다.

바울로는 이렇게 말하였습니다.

"여러분은 자신이 하느님의 성전이며 하느님의 성령께서 자기 안에 살아 있다는 것을 모르십니까? 하느님의 성전은 거룩하며 여러분 자신이 바로 하느님의 성전이기 때문입니다."(I 고린 3:16-17)

바울로가 말하였듯 우리의 몸은 하느님의 성령이 살아 계신 거룩한 성전 그 자체입니다. 그러므로 20세기 최고의 걸작품인 가우디의 성 가족교회도 하느님의 성전인 우리들의 몸을 뛰어넘을 수가 없는 것입니다. 우리는 하느님께서 직접 자신의 형상을 따서 만든 창조물이며 하느님의 입김을 받음으로써 생명을 지닌 인간이 되었습니다. 우리들의 죄는 그분의 외아드님이신 예수께서 대신해서 십자가에 못 박혀서 돌아가심으로써 용서받고 눈부신 신 인간으로 재창조된 것입니다.

그러므로 진실로 화려한 예물과 치장으로 아름답게 꾸밀 것은 돌로 만든 건축물이 아니라 우리 자신의 몸과 영혼일 것입니다. 왜냐하면 우리들의 몸은 하느님과 우리 주 예수 그리스도와 성령의 삼위일체가 머물고 계시는 거룩한 대성당 그 자체이기 때문입니다.

루가 21:5-19

신 포도주

군인들도 또한 예수를 희롱하면서 가까이 가서 신 포도주를 권하고
"네가 유다인의 왕이라면 자신이나 살려보아라" 하며 빈정거렸다.

로마의 국립미술관에는 독특한 모습을 한 조각상이 있습니다. 꼽추에 안짱다리, 불룩 나온 배, 허공을 노려보는 추악한 용모의 이 조각은 바로 고대 그리스의 우화작가인 이솝의 모습입니다.

동물의 행동, 성격 들을 빌려서 적절한 교훈을 설교한『이솝이야기』는 오늘날 모르는 사람이 없을 정도로 유명한 동물설화집입니다. 정확하지는 않지만 기원전 6세기경에 살았던 이솝은 원래 노예였으며 피살되어 비참한 생애를 마쳤다고 알려져 있습니다.

14세기경 이스탄불에 살았던 수도승 플라누데스가 편집해서 전승된『이솝이야기』는 동물을 통해 인생의 기미機微를 교묘하게 묘사하는 그 특유의 풍자성으로 인류 최고의 우화로 찬사받고 있습니다.

『이솝이야기』에는 많은 우화가 실려 있는데 그중에서 '여우와 포도' 이야기는 모르는 사람이 없을 것입니다.

어느 날 여우가 먹을 것을 찾아서 헤매다가 탐스러워 보이는 포도송이를 발견합니다. 배고픈 여우는 그 포도를 따먹으려고 갖은 애를 썼지만 너무 높이 있어서 따먹을 수가 없었습니다. 그러자 여우는 그 자리를 떠나면서 이렇게 중얼거립니다.

"저 포도는 맛이 없을 거야. 저 포도는 신 포도일 테니까."

이 짧은 우화는 인간은 누구나 자기 힘이 모자라 무슨 일이 자기 뜻대로 되지 않을 때는 그것을 저주함으로써 마음의 위안을 삼는다는 어리석음을 풍자하고 있는 것입니다.

주님은 십자가에 못 박혀 돌아가실 무렵 "목마르다"라고 말씀하십니다. 그러자 군인들은 해면에 신 포도주를 적셔서 풀대에 꿰어 그것을 주님의 입에 대어드립니다. 주님께서는 신 포도주를 맛보신 후 "이제 다 이루었다"(요한 19:30)라고 말씀하시고는 숨을 거두십니다.

성경에는 주님께서 목이 말라 갈증을 느끼시는 장면이 두 번 나옵니다. 그 하나는 먼 길에 지치신 예수께서 우물가에 앉아 사마리아 여인에게 물을 달라고 청하실 때이며, 또 하나는 위와 같이 돌아가시기 직전에 "목마르다"라고 하신 말씀입니다.

"내가 주는 물을 마시는 사람은 영원히 목마르지 않을 것이다"

(요한 4:13)라고 말씀하신 주님께서도 막상 자신이 목이 마르셨을 때는 해면에 적신 신 포도주를 입에 적실 수밖에 없으셨습니다.

『이솝이야기』에 나오는 그 신 포도. 배고픈 여우까지도 멸시하는 그 포도나무. 어리석은 우리들은 십자가에 높이 매달린 '참포도나무'(요한 15:1)를 배고픈 여우처럼 "저 포도는 맛이 없어. 저 포도는 실 테니까"라고 저주합니다. 또한 우리들은 '샘물처럼 솟아올라 영원히 살게 하는 그분의 물'(요한 4:14)을 받아 마시면서도 정작 그분께서 목말라하실 때 우리들은 멸시와 저주의 '신 포도주'를 그분의 입에 대어드리는 것입니다.

아아, 진실로 목마른 사람은 우리가 아니라 주님이시며, 진실로 헐벗고 굶주린 사람은 우리가 아니라 주님이심을 이제 제가 알겠나이다. 그러므로 주님, 온갖 죄악으로 더럽혀진 신 포도주인 저를 주님의 은총으로 정화시켜주시어 주님의 갈증을 적시는 한 방울의 물로 변화시켜주소서. 주님의 목마름은 물 때문이 아니라 평화에 대한 갈증 때문이라는 테레사 수녀의 말씀처럼 저를 신 포도주에서 평화의 물로 변화시켜주소서.

루가 23:35-43

하느님은 약속을 지키셨다

유다인의 왕으로 나신 분이 어디 계십니까.
우리는 동방에서 그분의 별을 보고 그분에게 경배하러 왔습니다.

『고도를 기다리며』는 아일랜드 출신의 프랑스 작가 사무엘 베케트[1906~1989]의 희곡입니다. 1953년 파리의 소극장에서 초연된 이 희곡은 이른바 '반[反]연극'의 기념비적인 작품으로, 1969년 노벨문학상 수상작이기도 합니다.

해 질 무렵, 어딘지도 모르는 시골길에서 두 사람의 떠돌이가 '고도'라는 인물을 기다리는 동안 부질없는 대사와 동작을 주고받으며 시간을 보내는 장면이 무대 위에서 벌어집니다. 마침내 심부름을 하는 양치기 소년이 "고도는 내일 온다"고 알려주는데도 이들은 무대 위에서 계속 기다리는 것으로 1막이 끝납니다. 다음날인 2막에서도 거의 같은 내용이 반복됩니다. 관객은 그들이 기다리는 '고도'가 도대체 누구인지 알 수 없는 가운데 결국 연극은 끝나게 됩니다.

작가는 '고도'라는 이를 밑도 끝도 없이 기다리는 인물들을 통해 현대인의 존재론적 불안을 독특한 수법으로 파헤치고 있습니다.

많은 비평가들은 그들이 기다리고 있는 '고도Godot'가 결국 '신[God]'에서 빌려온 이름이며, 따라서 그들이 기다리고 있는 '고도'는 절대자, 즉 하느님의 상징이라고 해석하고 있습니다.

어디로부터 왔는지, 어디로 가야 하는지 알지 못하는 우리들의 인생은 마치 베케트의 부조리한 연극 무대에서 언제 나타날지 모르는 '고도'를 기다리는 우스꽝스러운 떠돌이에 불과한 것입니다.

이 불확실한 인간에게 있어 '예수'는 오기로 약속된 단 한 사람입니다. 일찍이 하느님에게서 창조된 그 수많은 인간들 중에서 하느님으로부터 예언된 사람은 오직 '예수'뿐인 것입니다. 하느님께서 예수의 선조인 아브라함에게 "네 후손은 원수의 성문을 부수고 그 성을 점령할 것이다. 세상 만민이 네 후손의 덕을 입을 것이다"(창세 22:17-18)라고 약속하신 이래 하느님은 기회 있을 때마다 예언자를 보내시어 그리스도가 오심을 예고하고 계십니다. 구약은 그리스도를 이 세상에 보내기까지 하느님과 인간 사이에 맺어진 계약에 지나지 않습니다. 따라서 예수가 태어남으로써 구약은 그 종지부를 찍게 되는 것입니다.

구세주인 예수 그리스도를 기다리는 민족은 유다인뿐이 아닙니다.

"고대 로마인들은 동방에서 세상의 지배자이자 주인인 그분이 나올 것이라는 예언을 믿고 있다"고 타치투스는 기록하고 있으며, 중국에서도 다음과 같은 기록이 나오고 있는 것입니다.

"주왕조 차오왕 24년 네 번째 달 제8일에 빛이 남서쪽에서 나타나 왕궁을 비추었다. 그 찬란한 광채에 놀란 왕이 물었다. 현인들은 이 이상한 조짐은 서방에서 위대한 성인이 나타났음을 알리는 것이며 그 성인의 종교가 중국에 전래되리라고 말하였다."

그리스인 데스킬루스는 그리스도 탄생 6세기 전에 『프로메테우스』라는 작품 속에서 이렇게 말하고 있습니다.

"신이 나타나서 그대가 지은 죄의 고통을 대신 받을 때까지 더 이상 저주가 끝나기를 기대하지 마라."

주님이 태어나셨을 때 동방의 박사들은 그들의 별을 보았습니다. 마치 중국의 왕이 찬란한 광채를 발견하고 놀란 것처럼. 그분의 별을 통해 유다인의 왕이 태어났음을 알고 그 먼 길을 찾아와 경배한 동방박사들을 통해 하느님은 예수께서 유다인뿐 아니라 전 인류에게 예언된 단 한 사람의 그리스도임을 분명히 가르치고 있는 것입니다.

아기예수를 보고 대단히 기뻐한 동방박사처럼 기뻐하고, 엎드려 경배한 동방박사처럼 경배하십시오.

아기예수는 하느님이 인간에게 약속한 그 메시아, 바로 그분이
시기 때문입니다. 알렐루야.

마태 2:1-12

하느님이 원하시는 일

우리가 이렇게 해야 하느님께서 원하시는 모든 일이 이루어진다.

『햄릿』은 영국의 문호 셰익스피어[1564~1616]가 쓴 세계적인 명작입니다. 이 희곡에는 전형적인 비극의 인물로 복수의 화신인 덴마크 왕자 햄릿이 등장하는데 극중에 나오는 다음과 같은 독백은 모르는 사람이 없을 정도로 유명합니다.

"죽느냐 사느냐 그것이 문제로다. 어느 쪽이 더 사나이다울까. 가혹한 운명의 화살을 받아도 참고 견딜 것인가, 아니면 힘으로 막아 싸워 이길 것인가."

극중 내내 고민하는 햄릿은 결국 복수 끝에 비참한 최후를 맞게 되는데, 죽느냐 사느냐의 선택에서 방황하는 햄릿은 흔히 현대인의 상징으로 비유됩니다.

현대인들은 햄릿처럼 언제 어디서나 선택을 강요받고 있습니다. 따라서 20세기의 철학자들은 현대인들을 자유선택에 맡겨진 '선택의 인간'이라고까지 표현하고 있습니다.

그런데 성서를 보면 주님께서 우리가 이해하지 못할 선택을 하신 모습을 자주 볼 수 있습니다. 그중에 하나가 주님께서 요한으로부터 세례를 받는 장면입니다.

오죽하면 요한이 "제가 선생님께 세례를 받아야 할 텐데 도대체 왜 이러십니까" 하고 말하였겠습니까. 하느님의 아드님이신 주님께서, 신발끈조차 풀어드릴 자격이 없다고 스스로 고백하였던 요한(요한 1:27)으로부터 세례를 받은 것은 정말 이해할 수 없는 선택입니다. 더욱이 사람들은 요한을 찾아가 자기의 죄를 고백해야만 세례를 받을 수 있었습니다.(마태 3:6)

주님은 천지가 생겨나기 전부터 하느님과 함께 계시던 말씀이자 생명이자 빛이시므로 죄의 어둠은 있을 수가 없었던 하느님 그 자체였습니다. 그러므로 고백할 죄가 없는 예수께서 세례를 받으러 오시자 요한은 몹시 당황했던 것입니다. 요한이 사양하자 주님은 말씀하셨습니다.

"이렇게 해야 하느님께서 원하시는 모든 일이 이루어진다."

하느님께서 원하시는 일, 그 일들이 바로 성서에 나오는 주님께서 하신 이해할 수 없는 선택의 단 하나 이유인 것입니다.

주님께서는 하느님께서 원하셨으므로 사람의 아들이 되어 초라

한 말구유에 누우셨습니다. 주님께서는 하느님께서 원하셨으므로 자신의 뜻대로가 아니라 아버지의 뜻을 좇아서(마태 26:39) 우리의 죄를 대신하여 십자가에 못 박혀 돌아가셨습니다. 마찬가지로 주님께서는 죄 많은 인간들과 하나가 되시기 위해서 스스로 죄인이 되어 세례를 받으셨던 것입니다. 우리들이 죄를 씻기 위해서 세례를 받았다면 주님께서는 오히려 우리와 같은 죄인이 되기 위해서 세례를 받으셨던 것입니다. 이것이 바로 하느님이 선택하신 길임을 주님은 깨닫고 계셨던 것입니다. 그에 비하면 우리들은 '하느님이 원하시는 일을 생각하기보다는 사람의 일만 생각하는'(마태 16:23) 베드로의 제자들입니다.

주님께서 베드로에게 "사탄아, 물러가라"라고 말씀하신 것은 베드로가 하느님의 길보다 사람의 길을 선택하였기 때문입니다.

그렇습니다. 그리스도를 믿는 우리들도 햄릿처럼 항상 두 가지 중 하나를 선택하기 위해 고민하지 않으면 안 됩니다.

"하느님의 일이냐, 아니면 사람의 일이냐, 그것이 문제로다."

주님은 항상 하느님이 원하는 일을 선택하심으로써 우리들에게 그 정답을 몸소 행동으로 실천하여 보여주신 것입니다.

마태 3:13-17

내 뒤에 오시는 나보다 앞선 분

나보다 앞서신 분이라고 말한 것은 바로 이분을 두고 한 말이었다.

이런 우스갯소리가 있습니다.

하느님께 한 사람이 물었습니다.

"하느님 아버지, 아버지에게는 하루가 천 년이지요?"

"그렇단다."

그러자 다시 그 사람이 물었습니다.

"하느님, 그럼 하느님에게는 일 원이 일억 원이겠네요?"

"물론 그렇지."

하느님이 대답하자 그는 이렇게 말하였습니다.

"그럼 하느님 아버지, 저 일 원만 주세요."

이 이야기는 단순한 농담 같지만 실은 진리입니다. 실제로 하느님에게 있어서 우리의 천 년은 하루도 아닌 한순간에 불과한 것입니다. 「요한복음」은 이러한 사실을 분명하게 드러내 보이고 있습니다.

「요한복음」의 첫 장면은 이렇게 시작됩니다.

"한 처음, 천지가 창조되기 전부터 말씀이 계셨다."

천지가 창조되기 전이라면 아마도 수천억 년 전의 일이었을 것입니다. 아니, 그것은 시간적으로 표현할 수 없는 영겁의 세월이었을 것입니다. 그것을 「요한복음」은 다만 '한 처음'이라는 말로 표현하였을 뿐입니다. 이런 「요한복음」의 독특한 시제 표현은 각 장을 다음과 같이 시작하고 있는 것으로 잘 알 수 있습니다.

'다음날' '그 이튿날' '사흘째 되던 날' '얼마 뒤에' '그 뒤' '그 날 저녁 때' '이때부터' '한편'…….

요한은 각 복음의 첫 시작을 이처럼 독특한 때매김으로 시작하고 있습니다. 그러나 여기에서 '그 이튿날'은 실제로 하루가 지난 그다음 날은 아닙니다. 요한이 '사흘째 되던 날'이라고 표현하였다 하더라도 실제로 3일째가 되는 날은 아닌 것입니다.

세례자 요한은 '다음날' 예수께서 자신에게 오시는 것을 봅니다. 여기에서 '다음날'이 무엇의 다음날인지 요한은 밝히고 있지 않습니다. 처음부터 영원이신 주님에게 있어 정확한 시간은 불가능한 일이라는 것을 잘 알고 있기 때문에 요한은 그렇게 표현하고 있는 것입니다.

세례자 요한의 다음과 같은 말이야말로 그것을 분명하게 보여주고 있습니다.

"내가 태어나기 전부터 계셨기 때문에 나보다 앞서신 분이 내 뒤에 오신다."

이 말은 분명한 모순입니다. 나보다 늦게 태어난 사람이 어떻게 나보다 앞선 사람일 수 있겠습니까. 유다인들이 예수께 "당신이 아직 쉰 살도 못 되었는데 어째서 우리의 조상 아브라함을 보았단 말이오"라고 물었을 때 예수께서는 이렇게 대답하셨습니다. "정말 잘 들어두어라. 나는 아브라함이 태어나기 전부터 있었다."(요한 8 : 58)

이 말은 인간으로서는 이해할 수 없는 대답입니다. 유다인들이 돌을 들어 예수를 치려 했던 것은 당연한 일이었던지도 모릅니다.

그러나 주님은 우리와 함께 처음과 같이 이제와 항상 영원토록 계실 분입니다. 「요한복음」이 각 장의 시작을 애매모호한 시작으로 표현한 것은 바로 그 때문이며, 세례자 요한의 위대성은 바로 그러한 모순을 영성으로 꿰뚫어봄에 있습니다.

세례자 요한은 두 번씩이나 "나는 이분이 누구신지 몰랐다"고 경탄하면서 자신의 사촌 예수께서 자신이 태어나기 전부터 계셨던 하느님의 아드님이라고 알아본 최초의 증인으로 주님으로부터 이런 찬사를 받는 것은 당연합니다.

"일찍이 여자의 몸에서 태어난 사람 중에 세례자 요한보다 더

큰 인물은 없었다."(마태 11:11)

그렇습니다. 주님은 모든 존재의 처음이자 마지막이요, 알파와 오메가인 것입니다. 그러므로 우리를 구원해주신 오직 한 분이신 하느님께서 우리 주 예수 그리스도를 통하여 영광과 위엄과 권세와 권위를 천지 창조 이전부터 이제와 또 영원토록 누리시기를 바랍니다.(유다 1:25) 아멘.

요한 1:29-34

날카로운 첫 키스의 추억

이때부터 예수께서는 전도를 시작하시며
"회개하라. 하늘나라가 다가왔다" 하고 말씀하셨다.

한용운[1879~1944]은 승려이자 시인이었으며 또한 독립운동가로 우리
나라가 낳은 근세기의 뛰어난 사상가였습니다. 자유와 평등, 민족
과 민중사상으로 요약되는 그의 불교적 세계관과 독립사상은 그
의 문학에 큰 영향을 미쳤습니다. 1926년에 간행된 『님의 침묵』은
그러한 미학을 드러내고 있습니다.

님은 갔습니다. 아아 사랑하는 나의 님은 갔습니다.
푸른 산빛을 깨치고 단풍나무 숲을 향하여 난, 작은 길을 걸
어서 차마 떨치고 갔습니다.
황금의 꽃같이 굳고 빛나던 옛 맹세는 차디찬 티끌이 되어서,
한숨의 미풍에 날아갔습니다.

날카로운 첫 키스의 추억은 나의 운명의 지침을 돌려놓고 뒷걸음질쳐서 사라졌습니다.

나는 향기로운 님의 말소리에 귀먹고, 꽃다운 님의 얼굴에 눈멀었습니다.

의미를 붙이기 좋아하는 사람들은 만해 한용운이 노래하였던 '님'이 조국의 해방이라고까지 확대해서 해석하지만 나는 있는 그대로의 '사랑하는 님'이라고만 부르고 싶습니다. 인도의 시성 타고르의 시에서 분명히 영향을 받은 「님의 침묵」은 한마디로 연가戀歌입니다. 황금의 꽃과 같이 굳은 옛 맹세를 남기고 떠난 님을 그리워하는 이 시 속에서 특히 한 구절에 나는 가슴이 뜁니다.

날카로운 첫 키스의 추억.

그렇습니다.

첫날밤, 첫걸음, 첫눈, 첫사랑 등 무엇이든 한 처음의 추억들은 신새벽의 처녀성을 갖고 있게 마련입니다. 하물며 날카로운 첫 키스의 추억이라니요. 날카로운 첫 키스의 추억을 남기고 떠나버린 님을 어찌 떠나보낼 수가 있겠습니까. 때문에 한용운은 이렇게 끝을 맺고 있습니다.

"아아, 님은 갔지만은 나는 님을 보내지 아니하였습니다."

주님은 세례를 받고 성령의 인도로 광야로 나아가서 악마의 유혹을 물리친 후 마침내 그리스도로서의 공생활을 시작하십니다. 드디어 첫마디의 말씀을 꺼내시는 것입니다. 말씀이 세상에 계셨고 온 세상이 이 말씀을 통해서 생겨났으며(요한 1:10) 마침내 말씀이 사람이 되시어 오신 그 첫마디의 말씀을 토해내시는 것입니다.

"회개하라. 하늘나라가 다가왔다."

그러나 주님이 터뜨리신 말씀은 우리를 실망스럽게 합니다. 왜냐하면 온 우주와 만물이 숨죽여 기다린 제일성이 누군가에 의해서 행해진 되풀이의 말이었기 때문입니다. 세례자 요한도 한 발자국 앞서 이렇게 말하였습니다.

"회개하여라. 하늘나라가 다가왔다."

그렇다면 주님이 요한의 말을 앵무새처럼 표절하였다는 말인가요? 그러나 두 분의 말씀은 같지만 두 사람의 행동에는 큰 차이가 있습니다. 요한은 하늘나라가 다가왔다고 '선포'하지만 주님은 하늘나라가 다가왔다고 '전도'를 시작하십니다. '선포'와 '전도'에는 큰 차이가 있습니다.

요한은 낙타털 옷을 입고 허리에 가죽띠를 두르고 있었지만 주님은 우리와 똑같은 옷을 입고 계셨습니다. 요한은 메뚜기와 들꿀을 먹었지만 주님은 우리와 똑같이 먹고 마셨습니다. 요한은 광야에서 살았지만 주님은 우리에게 오셔서 우리와 함께 사셨으며 우리의 병을 고치고 우리의 죄를 대신해서 돌아가셨으며 그리고 죽음을 물리치고 부활하셨습니다.

그러므로 요한이 '하늘나라가 다가왔다'고 이 세상을 향해 선포하였다면 '하늘나라'이신 주님께서는 직접 우리의 곁으로 다가오신 것입니다. 요한이 새벽을 알리는 닭이었다면 주님은 새벽 그 자체이신 것입니다. 주님께서 세례를 받으심으로 비로소 하늘이 열렸다면(마태 3:16) 주님이 전도를 시작하심으로 비로소 하늘이 우리에게 움직여 다가오신 것입니다.

하늘이신 주님이 우리에게 다가오심으로써 한용운의 시처럼 하늘과 땅의 입맞춤, '주님과의 날카로운 첫 키스'는 시작된 것입니다.

마태 4:12-23

씨 뿌리는 사람

하늘나라의 헌법

기뻐하고 즐거워하여라.
너희가 받을 큰 상이 하늘에 마련되어 있다.

기원전 206년, 한나라의 유방은 항우와 진나라를 쳐부수고 마침내 천하를 통일하였습니다. 유방은 곧 진나라의 서울인 함양에 입성하였는데 그는 그곳에서 호사스러운 궁전과 진귀한 재물 그리고 수백 명의 미녀를 보았습니다. 유방은 언제까지나 그곳에 머무르고 싶은 생각이 들었습니다. 그러나 눈치를 챈 신하 번쾌가 이렇게 말하였습니다.

"이 재물, 보화와 미녀들이야말로 진나라가 멸망한 원인을 말해주고 있는 것이 아닙니까. 여기에 머무르시면 안 됩니다."

유방은 그의 말에 곧 정신이 들었습니다. 그는 재물과 미녀에 손대지 않고 모든 물건에 봉인을 해둔 후 각 고을의 대표들을 불러 다음과 같이 선포하였습니다.

"당신들은 오랫동안 진의 가혹한 법률 아래서 괴로움을 당했다. 나는 그대들에게 다음의 삼장三章만을 남겨두고 나머지는 모조리 폐기할 것을 약속한다. 즉, 살인한 자는 사형에 처하고, 사람에게 상해를 끼친 자는 그에 따라 처벌하며, 남의 재물을 훔친 자 역시 거기에 따라 처벌한다는 세 가지뿐이다."

진나라는 법률지상주의 국가였습니다. 사람의 마음은 근본적으로 악하다는 성악설性惡說의 철학에 기반을 둔 진나라는 인간의 모든 생활을 철저히 법률 조목으로 규제하려고 하였습니다. 그러다 보니 법률은 점점 복잡해지고 엄격해졌으며, 그에 따라 사람들은 법률의 노예가 되고 말았던 것입니다. 단지 간단명료한 세 종목의 법률만 남긴 유방의 '법삼장法三章' 이야말로 법률이란 최소한의 것으로 최대한의 효과를 내야 한다는 진리를 웅변하고 있는 것입니다.

"회개하라. 하늘나라가 가까웠다"고 전도를 시작하심으로써 주님은 자신이 하늘나라의 주인임을 분명하게 밝히고 계십니다. 그와 동시에 주님은 지금까지는 그 누구도 말하지 않았던 하늘나라의 법률에 대해서 입을 열어 선포하고 계신 것입니다.

주님이 직접 입을 열어 가르치신 하늘나라의 헌법은 지금까지 우리가 보아왔던 율법과는 전혀 다른 것입니다. 무엇을 금지하고 어떤 죄를 저지른 자에게는 어떤 형벌이 주어진다는 법전과는 달리 주님의 헌법은 우리에게 진정한 의미의 '참된 행복'에 대해서

만 말씀하고 계십니다. 유방이 수많은 법률을 폐지하고 단지 '법 삼장'만 남겨 백성들을 법의 노예에서 해방시켰듯 주님은 그 복잡한 율법을 없애기 위해서가 아니라, 율법을 완성시켜 우리를 죄의 노예에서 해방시키기 위해(마태 5:17) '여덟 가지의 참된 행복'에 대해서 선포하시는 것입니다.

주님이 말씀하신 참된 행복이 모두 행동이 아닌 '마음'에 기초한 심법心法이라는 사실은 우리에게 많은 것을 생각하게 합니다.

마음이 가난한 사람, 마음으로 슬퍼하는 사람, 마음이 온유한 사람, 마음으로 옳은 일에 주린 사람, 마음이 깨끗한 사람 등. 무엇보다 마음을 우선하는 주님의 선언은 '잔과 접시의 겉만은 깨끗이 닦아놓지만 그 속에는 착취와 탐욕이 가득 차 있고, 겉은 그럴듯하게 보이지만 속에는 죽은 사람의 뼈와 썩은 것이 가득 차 있는 회칠한 무덤'(마태 23:25-27)과 같은 자들, 행동과 마음이 다른 율법학자들을 질타하는 주님의 책망과 일맥상통하고 있는 것입니다. 그러므로 주님, 무엇보다 저를 입술로는 주님을 공경하지만 마음은 탐욕으로 가득 차 주님에게서 멀리 떠나 있는(마태 15:8) 위선자가 되지 않도록 저를 끊임없이 변화시켜주시고 제 마음이 주님의 성심聖心을 닮을 수 있도록 은총 내려주소서.

마태 5:1-12

쓰러진 소금단지

너희는 세상의 소금이다.
만일 소금이 짠맛을 잃으면 무엇으로 다시 짜게 만들겠느냐.

레오나르도 다빈치[1452~1519]는 르네상스 시대를 대표하는 천재적인 화가, 과학자이자 사상가였습니다. 인류가 낳은 최고의 천재라고 일컬어지는 그는 따라서 전인[全人]이라고까지 불리고 있습니다. 비교적 말년에 그린 〈모나리자〉와 더불어 밀라노의 산타마리아 델레 그라치에 수도원에 그린 〈최후의 만찬〉은 다빈치의 예술성을 엿볼 수 있는 최고의 명작입니다.

수도원의 식당에 그린 〈최후의 만찬〉은 주님께서 수난 전날 밤에 열두 사도들과 함께한 만찬을 그린 벽화입니다. 빵과 포도주를 축복하시며 성체[聖體]와 성혈[聖血]로 변화시킨 이날 밤 주님은 유다의 배신을 예언하십니다. 주님의 말씀을 들은 제자들은 크게 놀라며 웅성이는데 다빈치가 그린 〈최후의 만찬〉은 바로 이 장면을 극명하게 묘사하고 있습니다. 이 작품은 삼사 년에 걸쳐 완성되었는데 이 벽화를 그릴 무렵 그림에 얽힌 유명한 일화가 있습니다.

다빈치는 작품의 정중앙에 앉아 있는 주님의 얼굴과 배신자 유다의 얼굴을 표현하는 데 매우 고심을 하였습니다. 왜냐하면 주님의 얼굴은 이 세상에서 가장 거룩한 얼굴의 상징이며, 유다의 얼굴은 이 세상에서 가장 비열한 배신자의 얼굴이기 때문입니다.

그래서 다빈치는 밀라노에서 가장 고결한 인품을 지닌 사람을 데려다가 그의 얼굴을 모델로 주님의 얼굴을 완성했다고 합니다. 주님의 얼굴을 완성한 다빈치는 차례로 열두 제자의 얼굴을 그려 나갔습니다. 삼사 년에 걸친 이 작업 끝에 단 한 사람의 얼굴만이 남게 되었습니다. 그것은 바로 유다의 얼굴이었습니다.

이번에는 밀라노에서 가장 잔인한 흉악범을 데려와서 그의 얼굴을 모델로 유다의 얼굴을 완성하였습니다. 마침내 유다의 얼굴이 완성된 날 사형장으로 끌려가던 흉악범은 다빈치에게 이렇게 소리쳐 말하였습니다.

"저를 모르시겠습니까?"

"네가 누구냐?"

다빈치가 묻자 그 사형수는 이렇게 대답하는 것이었습니다.

"저는 몇 년 전 나으리께서 예수의 모델로 그리셨던 바로 그 사람입니다."

〈최후의 만찬〉에는 또 한 가지 잘 알려지지 않은 이야기가 숨어 있습니다. 주님을 비롯하여 열두 제자들이 앉아 있는 거대한 식탁 위에는 접시와 빵과 음식 들이 널려져 있습니다. 그러나 자세히 살펴보면 소금단지 하나가 쓰러져 있음을 발견하게 됩니다. 다른 접시들과 음식들은 제자들이 크게 놀라며 몸을 움직여도 모두 제 자리에 있는데 오직 소금단지 하나만 쓰러져 있는 것입니다.

이는 우연이 아닙니다. 날카로운 관찰력과 엄격한 사실의 바탕 위에서 객관적인 묘사를 하였던 다빈치가 그 소금단지를 우연히 쓰러뜨렸을 리 없는 것입니다.

주님은 말씀하셨습니다.

"너희는 이 세상의 소금이다. 소금이 짠맛을 잃으면 무엇으로 다시 짠맛을 만들겠느냐? 그런 소금은 아무 데에도 쓸데없어 밖 에 내버려져 사람들에게 짓밟힐 따름이다."

레오나르도 다빈치는 인간의 내부에는 누구나 주님의 신성과 가롯 유다의 악마성이 동시에 공존하고 있음을 알리고, 짠맛을 잃 으면 영성을 잃은 유다처럼 쓸데없이 밖에 버려져 짓밟힐 뿐이라 는 평범한 진리를 쓰러진 소금단지를 통하여 우리에게 표현하고 있는 것입니다.

마태 5:13-16

'예'와 '아니오'

너희는 그저 '예' 할 것은 '예' 하고 '아니오' 할 것은 '아니오'라고만 하여라.

구약성서에 보면 하느님으로부터 부르심을 받은 수많은 예언자들이 등장합니다. 그중에 한 사람인 '요나'는 매우 특이한 사람입니다.

그는 하느님으로부터 부르심을 받았으나 응하지 않고 "아니오" 하고 거절한 후 하느님에게서 도망쳤던 사람입니다. 그는 다르싯(스페인)으로 도망치려고 배까지 탑니다. 그러나 바다 위에서 태풍을 만난 요나는 제물로 바쳐집니다. 그는 큰 물고기에게 삼켜져 사흘 밤낮을 뱃속에 있다가 살아난 후 '니느웨'라는 도시로 가 하느님의 말씀을 전하였던 선지자였습니다.

주님은 이 '요나'의 기적을 의미 있게 받아들이고 계셨던 것 같습니다. 주님은 "기적을 보여달라"고 사람들이 얘기하자 "예언자 요나의 기적밖에는 따로 보여줄 것이 없다"(마태 12:39)고 두 번씩이나 말씀하시고 요나가 큰 물고기 뱃속에서 사흘 밤낮을 보낸 것처럼 자신도 땅속에서 사흘 밤낮을 보내게 될 것임을 예언하십니다. 주님은 '요나'의 기적 속에서 자신의 죽음과 부활의 전조前兆를 발견하셨던 것입니다.

하느님의 부르심에 요나가 '아니오' 하고 거절하였다면, 하느님의 부르심에 '예' 하고 대답함으로써 전 인류에게 구원의 희망을 가져온 또 다른 한 사람이 성경에 나옵니다.

바로 성모 마리아입니다.

마리아는 처녀의 몸인데도 천사로부터 하느님의 아들을 잉태하게 될 것이라는 전갈을 받자 "지금 말씀대로 저에게 이루어지기를 바랍니다"(루가 1:38) 하고 선뜻 '예'라는 대답으로 응답하신 것입니다.

주님은 우리에게 말씀하셨습니다.

"너희는 그저 '예' 할 것은 '예' 하고 '아니오' 할 것은 '아니오'라고만 하여라. 그 이상의 말은 악에서 나오는 말이다."

사실 하느님의 말씀은 그 어느 것도 우리가 '아니오'라고 거절할 수 없습니다. 하느님의 부르심은 요나처럼 우리가 어디로 도망치든 벗어나려야 벗어날 수가 없는 것입니다.

가톨릭 사상 가장 뛰어난 영성가의 한 사람인 십자가의 성 요한은 이렇게 말하였습니다.

"하느님께 날아오르는 유일한 길은 '예'와 '아니오'의 대답 속에 들어 있습니다. 우리는 끊임없이 '아니오'라는 대답으로 피조물에 대한 집착에서 벗어남으로써 자기를 벗어나게 됩니다. 이것이 바로 '응하면서가 아니라 부정하면서 거룩한 잠심^{潛心}'으로 나아가는 것입니다. 그리하여 우리는 '무^無'의 세계에 이르게 되며 그 정도에 따라 '예'라는 대답을 통해 하느님은 충만한 은총을 내려주시는 것입니다."

지금 이 순간에도 우리를 부르는 두 목소리가 끊임없이 들려오고 있습니다. 우리를 부르는 하느님의 목소리와 우리를 유혹하는 세속의 목소리입니다. 우리들은 "마음은 간절하나 몸이 말을 듣지 않아 잠들어 있는 베드로"(마태 26:41)처럼 세속의 유혹에는 본능적으로 '예' 하면서 정작 '예' 하고 대답하여야 할 하느님의 대답에는 '아니오'라고 대답하거나 아니면 게으름에 빠져 듣지 못하고 있는 것입니다. 그러므로 주님, 주님께서 항상 "들을 귀가 있는 사람은 알아들어라"라고 말씀하셨듯 저에게 들을 귀를 열어주시어 '예' 할 곳에 '예' 하고 '아니오' 할 곳에는 '아니오' 하고 대답하는 올바른 신앙인이 될 수 있도록 은총 내려주소서.

마태 5:17-37

제4의 유혹

예수께서 성령의 인도로 광야에 나가 악마에게 유혹을 받으셨다.

『파우스트』는 독일의 문호 괴테[1749~1832]가 전 생애를 바쳐서 쓴 희곡입니다.

노력하는 사람을 구제하려는 신에 대해 부정적인 악마 메피스토펠레스는 파우스트를 유혹할 수 있다고 내기를 겁니다. 그리고 온갖 지식에 절망하고 있던 파우스트가 자살하기 직전 그를 유혹합니다. 메피스토펠레스는 파우스트에게 이 세상의 모든 쾌락을 체험하게 해주는 대신 파우스트가 어느 한순간 "멈춰라, 너는 정말 아름답구나"라고 말한다면 영원히 그에게 영혼을 내어주기로 계약을 맺습니다.

그리하여 20대의 청년으로 젊어진 파우스트는 소녀와 사랑을 하기도 하고, 전설 속의 미녀를 만나 결혼도 합니다. 전공[戰功]을 세워 불모지를 하사받기도 합니다. 이 땅을 개발하여 낙원으로 만들기 위해 노력하던 파우스트는 백 살이 되어 마침내 맹인이 되고 맙니다. 그러나 파우스트의 심안은 더욱 밝아지고 이렇게 외치면서 숨을 거두게 됩니다.

"멈춰서라, 너는 정말 아름답구나."

이 말을 들은 메피스토펠레스는 자신이 승리했다고 착각하지만 천사들이 파우스트를 천상으로 데려가며 다음과 같은 합창으로 끝이 납니다.

모든 회개하는 연약한 자들아
구원의 눈초리를 우러러보라.
거룩하신 신의 섭리를 따라서
감사하며 스스로를 변모시키기 위해
마음씨 착한 사람들이
누구나 받들어 모시는 동정녀요, 어머니요, 여왕이시여
길이길이 베푸소서.
일체의 무상한 것은 한갓 비유일 뿐
미칠 수 없는 것 여기서는 실현되고
말할 수 없는 것 여기서는 이룩되었네.
영원한 여성은 우리를 이끌어 올리리라.

광야에 나아가서 40일을 단식하시고 악마의 유혹을 받는 주님의 모습은 파우스트보다 훨씬 소설적입니다.

하느님의 아들인 주님을 인간이면 누구나 지니고 있는 세 가지의 욕망, '재물'과 '인기'와 '권력'의 미끼로 유혹하려는 악마의 모습 역시 메피스토펠레스보다도 훨씬 극적입니다. 악마와 싸우는 주님의 모습을 통해서 우리가 깨달아야 할 최대의 교훈은 악마의 실재實在입니다. 그러나 악마가 던지는 최고의 유혹은 악마 스스로가 외치는 자신의 부재不在인 것입니다. 악마는 분명히 실존하고 있으면서도 자신을 하나의 상징일 뿐이라고 끊임없이 설명하고 있습니다.

따라서 현대인들은 악마가 없다고 믿고 있습니다.

그러나 악마는 분명히 있습니다.

하느님은 한 번도 자신이 존재하지 않는다고 말씀하신 적이 없습니다. 모세가 물었을 때 하느님은 "나는 곧 나다"라고 말씀하신 후 "나는 너희들의 하느님 야훼다"(출애 3:15)라고 분명히 자신을 드러내십니다. 그러나 악마는 자신의 본성인 거짓말(요한 8:44)을 통해서 '나는 곧 없다'고 정의하고 있습니다. 문제는 악마가 '자신은 없는 자'라고 정의함으로써 하느님도 존재하지 않는다는 무신론의 동반부재를 성공시키고 있는 것입니다.

20세기의 비극은 악마의 이 거짓말이 하나의 정설이 되어 가공

스러운 세계대전과 공산주의, 폭력, 빈곤, 성적 타락 등 인간의 영혼을 병들게 하는 악마의 독소가 대유행을 보이는 데서 비롯된 것입니다.

그렇습니다. 악마 메피스토펠레스가 현대인에게 던지는 제4의 유혹, 그것은 바로 이것입니다.

'악마는 없다.'

마태 4:1-11

십자가 없는 예수

주님, 저희가 여기에서 지내면 얼마나 좋겠습니까.

성서에 보면 주님은 세 번씩이나 자신이 십자가에 못 박혀 죽었다가 사흘 만에 다시 살아날 것임을 예고하십니다. 제자들의 입장에서 보면 참으로 이해할 수 없는 말씀이었습니다.

베드로가 주님께 "안 됩니다. 절대로 그런 일이 있어서는 안 됩니다" 하고 말렸던 것은 당연한 일이었습니다. 그러나 그런 베드로를 돌아다보시고 "사탄아, 물러가라"고 꾸짖으신 주님의 말씀은 정말 뜻밖입니다.

예수님의 이러한 극단적인 표현을 본 제자들은, 이후 주님께서 두 번이나 더 자신의 수난을 예고하셔도 다만 슬퍼하거나(마태 17:23) 깨닫지 못해 묻기조차 두려워하였을 뿐(마르 9:32)이었습니다.

주님이 베드로를 준엄하게 꾸짖으셨던 것은 베드로가 "하느님의 일을 생각지 않고 사람의 일만 생각하는"(마태 16:23) 즉, 십자가 없는 주님의 영광만을 생각하기 때문에 그렇게 말씀하셨던 것입니다. 이렇게 수난에 대해 첫 번째 예고를 하신 지 엿새 후 주님은 베드로와 야고보 그리고 요한만을 데리고 높은 산에 올라가십니다. 이때 제자들은 주님의 모습이 얼굴은 해와 같이 빛나고 옷은 눈부시게 변하시는 모습을 보게 됩니다.

주님은 얼마 전 수난에 대해 첫 번째 예고를 하신 것처럼 이번에는 십자가에 못 박혀 돌아가셨다가 사흘 만에 부활하시는 영광의 모습을 예고하십니다.

수난에 대해서 "결코 그런 일이 일어나서는 안 됩니다"라고 말하였던 베드로는 이번에는 영광에 싸여 나타나신 주님(루가 9:31)께도 똑같은 말을 하게 됩니다.

"주님, 언제까지나 여기서 함께 지내면 얼마나 좋을까요. 제가 여기에 초막집을 지어드릴 테니 그런 불길한 말씀 같은 것은 집어치우시고 천년만년 함께 사시지요."

그러나 베드로의 이 말도 "무슨 소리를 하는지 자기도 모르고 한 말"(루가 9:33)에 지나지 않는 것입니다. 베드로는 하느님이 이루려 하시는 일, 즉 십자가의 죽음을 통하지 않고서는 주님의 영광은 존재하지 못한다는 사실을 모르고 있었기 때문이었습니다.

베드로는 '십자가 없는 예수'를 따르고 '십자가 없는 영광의 그리스도'와 함께 살려 했던 어리석은 제자였습니다.

그러나 이런 베드로도 마침내 십자가에 못 박혀 돌아가셨다 부활하신 주님을 체험한 이후 변모하여 다음과 같이 증언하는 것입니다.

"우리 주 예수 그리스도의 권능과 강림의 이야기는 사람들이 꾸며낸 신화에서 나온 이야기가 아닙니다. 우리는 그분이 얼마나 위대한 분이신지를 우리의 눈으로 보았습니다. 그분은 분명히 하느님 아버지로부터 영예와 영광을 받으셨습니다. 그것은 최고의 영광을 지니신 하느님께서 그분을 가리켜 '이는 내 사랑하는 아들, 내 마음에 드는 아들이다' 하고 말씀하시는 음성이 들려왔을 때의 일입니다. 우리는 그 거룩한 산에서 그분과 함께 있었으므로 하늘에서 들려오는 그 음성을 직접 들었습니다. 이것으로 예언의 말씀이 더욱 확실해졌습니다. 여러분의 마음속에 동이 트고 샛별이 떠오를 때까지는 어둠 속을 밝혀주는 등불을 바라보듯이 그 말씀에 주의를 기울이는 것이 좋겠습니다. 그리고 무엇보다도 먼저 알아야 할 것은 성서의 어떤 예언도 임의로 해석해서는 안 된다는 점입니다. 예언은 인간의 생각에서 나온 것이 아니라 사람들이 성령에 이끌려서 하느님께로부터 말씀을 받아 전한 것입니다." (II 베드 1:16-21)

마태 17:1-9

제2의 성

마침 그때에 한 사마리아 여자가 물을 길으러 나왔다.
예수께서 그를 보시고 물을 좀 달라고 청하셨다.

시몬느 보부아르[1908~1986]는 프랑스의 여류 소설가이자 사상가입니다. 그녀는 젊은 시절부터 실존주의 철학에 영향을 받아 사르트르와 우정을 맺기 시작하였으며 이런 우정은 사르트르와 계약결혼을 맺는 특이한 관계로까지 발전하게 됩니다.

이처럼 사상과 행동의 일치에 노력하던 보부아르는 『제2의 성』이라는 저술을 통해 여성이 왜 '제2의 성'으로 전락하게 되었는지 밝히려 했습니다. 이 책 속에는 여성에 관한 중요한 말이 나옵니다.

"여성은 여성으로 태어나는 것이 아니라 여성으로 만들어지는 것이다."

보부아르의 말처럼 인류의 반은 남성으로 태어나고 나머지 반은 여성으로 태어나지만 여성은 역사적으로 동등한 성별로 취급받지 못하고 항상 '제2의 성'으로 차별받으며, 그런 편견을 통해 여성은 태어나자마자 다른 옷을 입고 다른 장난감과 다른 놀이 속에서 후천적으로 키워지고 만들어지고 있는 것이 분명한 사실입니다.

그러나 주님은 전 인류 사상 여성을 여성으로 보지 않고 있는 그대로의 인간으로 본 최초의 인물이었습니다.

성서 그 어디에도 주님께서 여성을 차별하신 곳이 없습니다. 그런 주님의 마음이 분명히 드러나는 곳이 바로 사마리아 여인과 만나는 우물가 장면입니다.

그 당시 유다인은 사마리아 사람들과 원수지간이었습니다. 성서에도 나와 있듯 유다인과 사마리아 사람들과는 상종하는 일이 없었던 것입니다. 사마리아 여인이 "당신은 유다인이고 저는 사마리아 여인인데 어떻게 저에게 물을 달라고 하십니까" 하고 말하였던 것은 당연한 일이었습니다. 더구나 상대방은 남편이 다섯이나 있었고 지금 함께 살고 있는 남자 역시 남편이 아닌, 기구한 팔자의 창녀와 같은 여인이었습니다. 오죽하면 남들에게 소외되어 정오에 가까운 뜨거운 한낮에야 홀로 물을 길러 나올 수밖에 없는 처지였겠습니까. 이런 여인에게 주님은 다가가서 먼저 물을 달라고 청하셨습니다.

주님은 그 여인이 '사마리아인'이며 '창녀와 같은 여인'이라는 껍질을 보지 아니하시고 그 여인 속에서 '인간'이라는 본질을 보신 것입니다. 주님이 먼저 여인에게 인간의 본질을 밝혀주시자 사마리아 여인 또한 주님의 존재를 처음에는 '유다인'에서 '선생님', '선생님'에서 '예언자', 그리고 마침내 '그리스도라는 메시아'로 발전하여 발견하게 되는 것입니다.

이러한 주님의 여성관이 사도 바울로에 이르러 왜곡되는 것은 참으로 이해할 수 없는 일입니다.

바울로는 '남자는 하느님의 모습과 영광을 가지고 있지만 여자는 남자의 영광만을 가지고 있다'(I 고린 11:7)는 성차별의 논리를 주장하고 있습니다.

그러나 주님은 남자도 여자도 "부활한 다음에는 장가드는 일도, 시집가는 일도 없이 하늘에 있는 천사처럼 된다"(마태 22:30)고 말씀하심으로써 인간의 본질은 성별을 초월하여 '하느님께서 당신의 모습대로 사람을 지어내시되 남자와 여자로 지어내신'(창세 1:27) 존재임을 분명히 밝히고 계십니다.

나는 남자이고 그대는 여자입니다. 그러나 우리는 주님 안에서 하나이며 하느님께서 똑같이 창조하신 거룩한 사람입니다. 나는 그대가 여자이기에 앞서 부활하여 하늘의 천사로 다시 태어날 거룩한 존재임을 압니다. 그러므로 나는 그대를 사랑합니다.

요한 4:5-42

실낙원

예수께서 길을 가시다가 태어나면서부터 눈먼 사람을 보셨다.

존 밀턴[1608~1674]은 셰익스피어와 더불어 영국이 자랑하는 대시인입니다. 대학 시절에는 성직자가 되기 위해 라틴어를 열심히 공부하였으나 졸업한 뒤에는 대륙으로 건너가 이탈리아에서 갈릴레이를 만나 우정을 나누기도 하였습니다. 그후 청교도혁명으로 공화제가 수립되자 고국으로 돌아와 크롬웰의 비서로 들어가 붓을 통해 군주체제에 강력히 대항하는 투사로 이름을 날리게 되었습니다.

그러나 그의 노력도 보람 없이 왕정이 복구되자 체포되어 사형을 당할 위험에 처합니다. 뿐만 아니라 그는 과로로 인해 실명을 당하는 비참한 지경에 이르게 되었습니다.

기적적으로 처형을 면한 밀턴은 이때부터 일생 동안 구상해왔던 『실낙원』을 집필하기 시작하였습니다.

구약성서에 등장하는 아담과 하와의 타락과 낙원 추방을 소재로 인간의 원죄에 대해 이야기하고 있는 이 대서사시는 눈이 먼 밀턴이 입으로 구술하고 그의 딸이 받아쓰는 고통 속에서 완성되었습니다.

『실낙원』의 첫머리에 밀턴은 다음과 같은 구절로 자신이 쓰려고 하는 서사시의 주제를 말하고 있습니다.

내 시의 대주제大主題의 높이는
영혼의 섭리를 밝히고자 함이요
또한 사람에게 신의 도리를 옳게 전하고자 함이다.
먼저 말하라.
무릇 하늘도 그대의 눈을 가려 숨길 수가 없도다.

비록 정치적으로는 패배해 사형수가 되었고 눈까지 먼 참혹한 지경에 이르렀지만, 그렇다고 하늘이 자신의 눈을 가려 영원한 신의 섭리를 숨길 수 없음을 깨달은 밀턴은 신의 도리를 올바르게 전하기 위해서 붓 대신 입으로 불후의 명작을 토해내기 시작하였던 것입니다.

밀턴은 육체의 눈이 먼 순간 마음의 눈이 뜨인 것입니다.

주님은 태어날 때부터 소경이었던 거지를 진흙을 개어 눈에 바른 후 실로암 연못에 가서 씻게 함으로써 눈을 뜨게 해주십니다. 유다인들은 이 기적을 믿으려 하지 않고 생트집을 잡아 거지를 회당 밖으로 쫓아내버립니다. 심지어 그 거지를 낳은 부모조차도 두려워서 자신의 자식을 모른 체하였습니다. 주님을 그리스도로 알아본 사람은 아이러니하게도 태어날 때부터 눈이 멀었던 그 거지 하나뿐이었습니다. 그는 주님 앞에 꿇어 엎드려서 "주님, 믿습니다" 하고 고백합니다. 그는 주님을 믿음으로써 눈이 떠졌을 뿐 아니라 심안_{心眼}까지 얻은 것입니다.

그렇게 보면 자신들을 '보는 사람'이라고 생각하였던 유다인들은 실제로 눈앞에 있는 주님을 알아보지 못한 소경이었으며, 태어날 때부터 눈이 멀었던 거지 소경은 오히려 눈 밝은 사람이었던 것입니다.

우리는 모두 눈이 잘 보인다고 생각합니다. 그러나 우리가 보는 것은 한순간의 현상에 지나지 않습니다. 왜냐하면 "우리가 보는 이 세상은 사라져가고 있기 때문입니다."(I 고린 7:31) 다행히 우리는 이미 실로암 연못으로 가서 얼굴을 씻고 영적인 마음의 눈을 뜬 '파견된 자'들입니다. 밀턴이 비참한 패배와 육체의 눈이 먼 고통 속에서 비로소 마음의 눈을 뜬 것처럼 주님을 향한 우리들의 영적인 눈도 이 세상을 향한 육체의 눈이 어두워지면 어두워질수록 더욱 밝아질 것입니다.

그렇습니다.

주님을 향한 영적인 눈이 밝아졌을 때에 우리는 죄를 지음으로써 쫓겨난 실낙원에서 "오늘 정녕 주님과 함께 낙원으로 들어가게 될 것입니다."(루가 23:43)

요한 9:1-41

베드로의 눈물

예수께서는 눈물을 흘리셨다.

엘 그레코[1541~1614]는 스페인이 낳은 화가입니다. 원래는 그리스 사람이었는데 일찍부터 미켈란젤로의 영향을 받아 로마에서 수학한 후 나중에는 톨레도에 정착하면서 스페인의 대표적인 화가가 되었던 사람입니다.

그의 그림은 주로 종교화와 초상화가 대부분이었고, 색채와 명암이 교묘히 대비되어 특유의 황홀한 흥분 상태가 감도는 독특한 그림을 그렸습니다. 수많은 빼어난 종교화를 남겼지만 그중에서도 〈베드로의 눈물〉이라는 작품은 걸작 중의 걸작입니다. 왼손 팔목에는 주님으로부터 약속받은 '하늘나라의 열쇠'(마태 16:19)를 건 채 두 손을 꼭 마주 잡고 허공을 우러러보고 있는 베드로의 얼굴은 그레코 특유의 비정상적인 길쭉한 얼굴로 묘사되어 있습니다. 흰 머리칼과 얼굴 가득한 턱수염, 완강한 근육을 가진 어부 출신의 베드로는 알 수 없는 허공 속의 한 점을 우러러보고 있는데 그 눈에는 눈물이 가득 고여 있습니다.

실제로 베드로는 주님이 승천하신 후 매일 새벽 첫닭의 울음소리와 함께 일어나 기도를 하고 몹시 울었다고 전해오고 있습니다. 항상 수건 한 장을 가슴에 넣고 다니며 넘쳐흐르는 눈물을 닦았는데, 주님의 다정한 말씀과 함께 있었던 일들을 생각하면 주님의 사랑으로 눈물을 참을 수가 없었기 때문이며, 또한 자기가 주님을 모른다고 세 번이나 부인한 일을 생각할 때마다 뉘우쳐 크게 울었다고 전해오고 있습니다. 너무나 자주, 그리고 많이 울었으므로 베드로의 얼굴은 눈물에 젖어서 항상 짓물러 있었다고 합니다.

그레코가 그린 〈베드로의 눈물〉이 최고의 걸작으로 손꼽히는 것도, 알 수 없는 허공을 우러러보며 울고 있는 베드로의 비통한 표정이 초자연적인 영성의 아름다움을 생생하게 묘사하고 있기 때문입니다. 성서 속에서 베드로가 처음으로 울기 시작하였던 것은 새벽닭이 운 순간이었습니다. 이때 주께서 몸을 돌려 베드로를 똑바로 바라보셨으므로(루가 22:61) 비로소 주님의 눈과 마주친 베드로는 "닭이 울기 전에 나를 세 번이나 모른다고 할 것이다"라고 하신 주님의 말씀이 떠올라 슬피 울기 시작하였습니다.

베드로의 눈물은 이렇게 시작하였던 것입니다.

그러나 성서에 보면 베드로의 눈물보다 앞서 또 한 사람의 눈물이 등장하고 있습니다. 그것은 주님의 눈물입니다.

주님은 평소에 사랑하시던 마리아 자매와 따라온 유다인들까지 우는 것을 보신 후 비통한 마음이 북받쳐 눈물을 흘리셨습니다. 하느님의 아드님이신 예수 그리스도께서 눈물을 흘리신 것입니다.

주님의 눈물.

우리는 울고 계시는 주님을 생각하면 가슴이 뜁니다. 살아 있지만 이미 죽은 사람의 냄새가 나는 라자로처럼 비참하고 절망적일 때 우리는 문을 걸어 잠그고 흐느껴 웁니다. 그러나 우리보다 먼저 문밖에서 울고 계시는 주님이 계십니다. 주님은 눈물을 흘리시면서 이렇게 큰 소리로 외치고 계십니다.

"이제 그만 나오너라."

베드로가 주님의 으뜸 제자가 될 수 있었던 것은 주님의 눈물을 그레코의 그림처럼 베드로의 눈물로 이어받았기 때문입니다.

그러므로 주님, 제 눈에도 주님처럼 눈물이 넘쳐흐르게 하소서. 주님을 생각할 때마다 베드로처럼 흐느껴 울도록 하소서. 눈물로 우리의 영혼을 정화시키어 하느님의 영광 속에 죽음의 동굴을 벗어나게 하소서.

요한 11:1-45

어리석은 군중

그동안 대사제들과 원로들은 군중을 선동하여 바라빠를 놓아주고
예수는 죽여달라고 요구하게 하였다.

르봉[1841~1931]은 프랑스의 사회학자입니다. 그는 원래 박사학위를
받고 의사로 출발하였지만 차츰 사회심리학으로 기울어져갔습니
다. 1895년에 쓴 『군중심리』라는 책은 20세기의 대표적인 명저 중
의 하나로 손꼽히고 있습니다.

"지금 우리가 발을 들여놓고 있는 시대는 군중의 시대다"라는
인식을 통해 르봉은 새로운 20세기가 '군중의 시대'가 될 것임을
예언하였습니다.

그는 많은 사람들이 모인 군중은 자기 이상의 행동을 하게 되며
이것은 사회적으로 위험하고 억제할 수 없는 집단난동과 파멸을
일으키게 된다면서, 이러한 군중 속에 일체화되어 자기의식을 잃
는 무명성[無名性], 개개인의 행동이 불분명하므로 책임의 소재까지 불

분명하게 되는 무책임성, 정보가 단절되어 있기 때문에 상상과 소문으로 판단하는 무비판성의 군중심리로 인해 20세기에는 어리석은 군중에 의해서 세기말적인 현상이 일어날 것임을 예언하였습니다. 그는 또한 위기 상태에 처했을 때 '좋은 리더'가 있으면 파멸적 상황을 피할 수 있으나 '선동자'가 나타나면 군중은 폭도로 변해 파괴적 상황이 일어날 수밖에 없음을 주장하였습니다. 르봉의 이러한 주장은 실제로 히틀러와 같은 나치즘의 선동자와 스탈린, 모택동 등과 같은 공산주의 선동자들이 나타남으로써 입증되었으며, 이들 선동자들에 의해서 인류는 전무후무한 참혹한 비극을 겪게 되었던 것입니다.

주님께서 예루살렘으로 입성하실 때 거의 모든 사람들은 종려나무 가지를 들고 나가서 주님을 맞으며 찬양하였습니다.

"호산나! 주님의 이름으로 오시는 이여, 찬미받으소서!"(요한 12:13) '호산나'는 '구원하소서'를 뜻하는 말로 기쁨과 승리를 노래하는 유다인 전통의 환호성이었습니다. 이렇게 주님을 찬양하던 군중들이 불과 며칠 만에 주님을 향해 이렇게 외치는 것입니다.

"죽이시오. 십자가에 못 박으시오."

주님을 찬양하던 군중들이 하느님의 아들을 죽인 폭도들로 변했던 것은 성서가 표현하고 있듯이 대사제와 원로들의 '선동' 때문이었습니다.

솔직히 군중들은 어째서 살인과 폭등을 일으킨 바라빠보다 예수 그리스도가 십자가에 못 박혀 죽어야 하는지 그 이유를 잘 알지 못했습니다. 군중들은 '자기들이 무엇을 하고 있는지를 모르고 있으면서'(루가 23:34) 주님의 피에 대한 책임을 자손들까지 지겠다는 엄청난 광기까지 부리고 있는 것입니다.

이 모든 비극은 르봉이 말하였던 것처럼 몇몇의 파괴적인 선동자들에 의해서 어리석은 군중이 폭도로 변했기 때문인 것입니다.

문제는 주님에 대한 사형 판결이 2천 년 전으로 끝이 난 것이 아니라는 데 있습니다. 지금 이 순간에도 주님은 중앙법정에 넘겨져서 재판을 받고 있습니다. 악의 선동자들은 더욱 교묘한 방법으로 한순간에 수천만 명이 한꺼번에 보고 읽을 수 있는 엄청난 매스컴의 위력을 통해 우리들을 이렇게 원격조종하고 있는 것입니다.

"죽이시오, 십자가에 못 박아 죽이시오."

그러므로 이제 우리들은 어리석은 잠에서 깨어나야 합니다. 어떻게 처신할지 깊이 생각해서 미련한 자처럼 살지 말고 지혜롭게 살아야 합니다. 이 시대는 악합니다. 우리들은 어리석은 군중이 되지 말고 주님의 뜻이 무엇인가를 잘 알고 살아가는 빛의 자녀가 되어야 할 것입니다.(에페 5:15-17)

마태 27:14-27, 66

인간적인, 너무나 인간적인 주님

가서 내 형제들에게 갈릴레아로 가라고 전하여라.

예이츠[1865~1939]는 아일랜드의 시인으로 젊은 시절 런던에서 화가가 되려고 수업하였지만 아일랜드 특유의 유현幽玄하고 환상적인 정서를 통해 세계적인 시인이 된 사람입니다.

1923년에는 노벨문학상을 수상하였으며 아일랜드 자유국가 성립에 공헌한 독립운동가였습니다.

그는 언제 어디서나 조국 아일랜드를 꿈꾸고 있었습니다. 그리하여 예이츠는 스물다섯 살의 청년 시절, 자신의 고향 이니스프리 섬을 그리워하는 대표적인 서정시 〈이니스프리 호도湖島〉를 발표합니다.

나 이제 일어나 가려네, 가려네, 이니스프리로.

거기 싸리와 진흙으로 오막살이를 짓고

아홉 이랑 콩밭과 꿀벌통 하나
그리고 벌들이 윙윙거리는 속에서 나 혼자 살려네.

그리고 거기서 평화를 누리려네, 평화는 천천히 물방울같이
떨어지리니
어스름 새벽부터 귀뚜라미 우는 밤까지 떨어지리니
한밤중은 훤하고 낮은 보랏빛
그리고 저녁때는 홍방울새들의 날갯소리

나 일어나 지금 가려네, 밤이고 낮이고
호수의 물이 기슭을 핥는 낮은 소리를 나는 듣나니
길에 서 있을 때 나 회색빛 포도鋪道 위에서
내 가슴 깊이 그 소리를 듣나니.

주님은 사흘 만에 부활하신 후 최초로 여인들에게 나타나 이런
수수께끼 같은 말씀을 하십니다.
"갈릴레아로 가라고 전하여라. 그들은 거기서 나를 만나게 될
것이다."
부활하신 주님은 어디든 단숨에 갈 수 있는 분이셨습니다. 심지
어 문을 뚫고 들어오시기도 하셨습니다.(요한 20:19) 그럼에도 불

구하고 왜 약속 장소를 갈릴레아로 정하셨을까요. 갈릴레아는 예루살렘에서 4백 킬로미터 정도 떨어진 먼 곳입니다. 물론 루가는 천사를 통해 그 이유를 암시하고 있습니다.

"주님께서 갈릴레아에서 뭐라고 하셨느냐. 사흘 만에 다시 살아나리라고 하지 않았느냐."(루가 24:7)

실제로 주님께서는 갈릴레아에서 "죽었다가 사흘 만에 다시 살아날 것"(마태 17:22-23)을 예고하셨습니다. 그렇다면 주님은 자신의 말씀이 실현된 것을 확인시켜주기 위해 일부러 집합 장소를 갈릴레아로 정하였을까요?

주님은 베들레헴에서 태어났습니다. 그러나 주님이 자란 곳은 나자렛이라는 동네였습니다. 그곳은 "나자렛에서 무슨 신통한 사람이 나올 수 있겠소?"(요한 1:46)라고 비웃을 만큼 초라한 시골이었습니다. 그러나 주님은 그곳에서 목수를 하면서 청년이 되셨으며 그곳에서부터 전도를 시작하셨습니다. 제자들을 부르신 곳도, "마음이 가난한 사람은 복이 있다"는 산상수훈을 하신 곳도 갈릴레아 호숫가였습니다.

주님은 그곳에서 자라고 그곳에서 그리스도로 완성되셨습니다. 주님이 갈릴레아를 사랑하셨던 것은 승천하신 후 천사들이 "갈릴레아 사람들아, 왜 너희는 여기에 서서 하늘만 쳐다보고 있느냐"(사도 1:11)라고 말했던 것을 봐도 잘 알 수 있습니다. 주님이 제자들을 갈릴레아의 호숫가로 부르시고 마지막으로 아침식사까지 만들어주신 것(요한 21:12)은 그분께서 그곳을 사랑하셨음을 극명하게 드러내 보이신 것입니다.

예이츠가 런던의 회색 포장길에서도 이니스프리의 물결 소리를 꿈꾸었던 것처럼 주님은 돌아가실 때까지 갈릴레아의 물결 소리를 꿈꾸셨던 것입니다. 그리하여 주님은 예이츠의 시처럼 '이제, 죽음에서 일어나 갈릴레아로 가셨던 것' 입니다.

그렇습니다. 주님은 이처럼 인간적인, 너무나 인간적인 분인 것입니다.

마태 28:1-10

평화의 푸른 지팡이

너희에게 평화가 있기를!

톨스토이[1828~1910]는 러시아가 낳은 세계적인 문호이자 사상가입니다. 명문 백작가의 아들로 태어난 그의 생애는 『전쟁과 평화』를 쓰며 작가적 명성을 누리던 50대까지의 전반과 죽음의 공포로 인생의 의미를 추구하며 고뇌하던 후반으로 나뉠 수 있습니다.

그러나 그의 전 생애를 지배했던 것은 어린 시절 형제들과의 놀이였습니다. 일흔을 넘어선 톨스토이는 이 추억을 「푸른 지팡이」라는 소품 속에서 회상하고 있습니다.

"내 큰형 니콜라이는 자기가 모든 사람을 행복하게 해주는 비밀을 갖고 있다고 했다. 그 비밀이 밝혀질 때는 모든 사람들은 서로 사랑하게 될 것이고 모든 사람들은 '개미 형제'가 되어 행복하게 살 것이라고. 그런데 그 비밀은 자기 손으로 '푸른 지팡이'에 적어

폴랴나의 골짜기에 묻어놓았다고 했다. 어린 시절 나는 그 푸른 지팡이의 존재를 믿었으며 지금도 나는 모든 사람들에게 평화를 주는 푸른 지팡이의 존재를 믿고 있다. 그것이 언젠가는 모든 사람들에게 밝혀질 것이다."

톨스토이는 여든두 살에 집을 나와 시골 역에서 숨을 거두어 마침내 고향인 폴랴나에 묻힘으로써 자기 자신이 푸른 지팡이가 되었습니다. 그러나 톨스토이는 마침내 그 푸른 지팡이의 비밀이 무엇인가를 깨달았습니다. 온 인류가 '개미 형제'가 되어 평화롭게 살 수 있는 진리의 비밀은 바로 '나를 세상에 보내신 분, 예수의 뜻에 따라 이 세상을 사는 것'이었습니다. 이러한 깨달음은 '톨스토이즘'이라는 사상을 낳았는데 이는 대체로 다섯 가지 가르침으로 요약됩니다. 이는 화내지 말 것, 간음하지 말 것, 맹세하지 말 것, 악에 대해서 폭력으로 대항하지 않는 무저항주의, 모든 사람들을 사랑하라는 형제애입니다.

주님은 부활하신 후 제자들 앞에 세 번 나타나십니다. 그런데 그 첫마디가 "너희에게 평화가 있기를!"이라는 말씀이셨습니다. 주님은 제자들이 기뻐하자 다시 평화의 인사를 나누십니다. 의심 많은 토마 앞에 나타나실 때도 "너희에게 평화가 있기를!"이란 인사말로 시작하십니다. 살아생전 주님께서는 제자들에게 이렇게 말씀하셨습니다.

"평화를 위하여 일하는 사람은 행복하다. 그들은 하느님의 아들이 될 것이다." (마태 5:9)

주님은 자신의 말씀처럼 줄곧 평화를 위해 일하셨습니다. 주님의 이런 말씀은 모순처럼 보입니다. 왜냐하면 유다인들에게 있어 주님은 불화의 씨앗이었으니까요. 주님이 없었다면 유다인들은 나름대로 평온하게 살아갔을 것입니다. 주님이 오심으로써 유다인들은 '넘어지기도 하고 일어나기도 하는 대혼란' (루가 2:34)에 빠지게 되는 것입니다. 주님에게 있어 평화는 반대받는 표적이 되어 반대자들의 숨은 생각이 드러나게 하는 것이었습니다.

그리하여 주님은 마침내 십자가에 못 박힘으로써 죽음의 공포와 폭력, 갈등과 의심을 물리치셨던 것입니다. 제자들이 죽음의 두려움에서 누구나 기뻐서 어쩔 줄 모르는 환희로, 의심의 미망에서 '나의 주님, 나의 하느님'이라는 찬양으로 바뀔 수 있었던 것은 오직 참평화 그 자체이신 주님의 실존 때문이었던 것입니다.

주님은 나타나실 때마다 항상 우리들의 '한가운데'에 서 계십니다. 그리고 말씀하십니다.

"너희에게 평화가 있기를!"

주님이야말로 진리의 한복판 그 중심이시며 톨스토이가 평생을 통해 추구하였던 참평화의 푸른 지팡이였던 것입니다.

요한 20:19-31

낯선 여인숙에서의 하룻밤

예수께서 그들에게 다가가서 나란히 걸어가셨다.
그러나 그들은 눈이 가려져서 그분이 누구신지 알아보지 못하였다.

박목월[1916~1978]은 경주에서 태어난 우리나라의 대표적 서정시인입니다. 그는 조지훈, 박두진과 더불어 『청록집』을 간행하였는데 이 작품집에는 김소월의 「진달래꽃」과 더불어 널리 애송되고 있는 「나그네」라는 시가 실려 있습니다.

강나루 건너서
밀밭길을

구름에 달 가듯이
가는 나그네

길은 외줄기
남도 삼백리

술 익는 마을마다
타는 저녁놀

구름에 달 가듯이
가는 나그네

2행씩 5연으로 되어 있는 짧은 시이지만 이 작품 속에는 구름이 갈라진 사이로 스쳐 가는 달처럼 남도 삼백리의 외길을 걸어가고 있는 나그네의 모습이 꿈처럼 황홀하게 묘사되고 있습니다. 달과 구름, 강과 저녁놀 그 어디에도 머무르지 않고 흘러가는 나그네의 모습은 우리들의 인생이란 '낯선 여인숙의 하룻밤'이라고 표현한 대*테레사 수녀님의 말을 떠올리게 합니다.

주님께서 돌아가신 후 시체가 없어진 것을 발견한 사람들 중 두 사람이 엠마오라는 동네로 가던 중에 경험하였던 일은 한마디로 우리들의 인생을 압축하고 있습니다.

두 사람이 이야기를 나누며 걸어가고 있을 때 예수께서는 나그네가 되어 다가서서 나란히 걸어가셨습니다. 부활하신 주님의 모습은 이처럼 눈이 열려 주님을 알아보기 전에는 너무나 평범하여 몰라보는 것이 당연하였습니다. 부활하신 주님이 막달라 마리아에게는 동산지기처럼 보였으며(요한 20:15), 티베리아 호숫가에서 일곱 제자들 앞에 나타나셨을 때도 요한을 빼놓고는 그 누구도 주님을 알아보지 못하였습니다.(요한 21:4)

엠마오로 가는 두 나그네 역시 하루종일 함께 주님과 걸었으면서도 바로 곁에 있는 그분이 주님이심을 전혀 몰랐습니다. 끊임없이 주님에 관한 이야기를 하고 침통한 표정으로 주님에 관한 소문을 전하면서도 그 말을 듣고 있는 사람이 바로 주님이심을 미처 몰랐던 것입니다. 그들은 주님께서 식탁에 앉아 빵을 들어 감사의 기도를 드리신 다음 그것을 떼어주실 때에야 비로소 눈이 열려 주님을 알아보았습니다. 주님의 이런 모습은 감사의 기도를 드리신 다음 제자들에게 빵과 포도주를 나누어주시던 최후의 만찬(마태 26:26)을 떠올리게 합니다.

우리들의 인생이란 예루살렘을 떠나 엠마오로 가는 두 나그네의 여정과 같습니다. 바로 우리 곁에 계신 주님의 현존을 우리는 까마득히 모르고 있습니다. 우리들 인생의 궁극적 목표는 부활하신 주님의 현존하신 모습을 발견하는 일입니다. 마음의 눈이 열려 주님의 현존을 발견할 때 우리는 물동이를 버려두고 동네로 돌아간 사마리아 여인처럼(요한 4:28), 찾아가던 동네를 버려두고 예루살렘으로 되돌아간 두 제자처럼 변화될 것입니다.

주님은 지금도 우리와 함께 길을 걷고, 이야기를 나누고, 낯선 여인숙에서 함께 묵고, 식탁에 앉아 식사를 하고 계십니다.

시인 박목월이 노래하였던 강나루 건너서 밀밭길을 구름에 달 가듯 남도 삼백리의 먼 길을 가는 나그네는 우리들이 잠들어 있을 때도 우리보다 더 멀리 가시려는 지친 주님의 모습일 것입니다.

그렇습니다. 우리가 주님을 찾아가는 것이 아니라 주님이 우리를 찾아서, 우리의 인생에 나그네가 되어 오신 것입니다.

루가 24:13−35

238

정말 잘 들어두어라

예수께서 또 말씀하셨다.

"정말 잘 들어두어라. 나는 양이 드나드는 문이다."

부처의 말을 기록한 초기 경전은 대부분 '여시아문^{如是我聞}'으로 시작됩니다. 이 말은 '나는 이렇게 들었다'라는 뜻으로 2대 제자인 아난이 부처의 가르침을 정리하고 기록할 때 그 첫머리에 붙였기 때문입니다.

마태오, 마르코, 루가, 요한의 4복음도, 부처의 제자였던 아난이 자신이 보고 들었던 스승의 말을 기록해놓은 것처럼 예수께서 하신 일들을 기록한 것입니다. 요한은 예수께서 하신 일들을 다 기록하자면 이 세상을 가득히 채우고도 남을 것(요한 21:25)이라고 말하면서 자신이 책을 쓴 목적을 다음과 같이 기록하였습니다.

"이 책을 쓴 목적은 다만 사람들이 예수는 그리스도이시며 하느님의 아들이심을 믿고, 또 그렇게 믿어서 주님의 이름으로 생명을

얻게 하려는 것이다."(요한 20:31)

이는 다른 복음사가들도 마찬가지였을 것입니다. 그들도 자신이 보고 들은, 예수님은 하느님의 아들이며, 그를 믿음으로써 참 생명을 얻을 수 있다는 기쁜 소식을 전하기 위해서 요한처럼 책을 썼을 것입니다.

그러므로 성서는 예수께서 행하신 행동과 하신 말씀으로 가득 차 있습니다.

그런데 주의 깊게 살펴보면 주님의 말씀 중에서도 특별히 강조하신 부분이 따로 있음을 알게 됩니다. 예수의 사랑받는 제자였던 요한은 주님께서 강조하실 때면 "정말 잘 들어두어라"라는 말을 입버릇처럼 사용하였음을 기록하고 있습니다. 「요한복음」에는 주님께서 그 말을 스무 번 이상 사용하셨음이 나오고 있습니다.

마태오는 주님께서 강조하실 때면 "나는 분명히 말한다"는 말을 자주 사용하셨음을 기록하고, 자신이 쓴 복음 속에 이 말을 스무 번 이상 사용하고 있습니다. 어느 것이 진짜 주님께서 사용하시던 말버릇인지는 모르겠지만 어쨌든 주님께서는 특별히 강조하실 때마다 독특한 어법을 사용하셨음을 알게 됩니다.

「요한복음」에서 "정말 잘 들어두어라"라고 주님께서 첫 번째 강조하신 것은 "너희는 하늘이 열려 있는 것과 천사들이 하늘과 사람의 아들 사이를 오르내리는 것을 보게 될 것이다"(요한 1:51)에서 시작하여 "물과 성령으로 새로 나지 않으면 아무도 하느님 나라에 들어갈 수 없다"(요한 3:5) "내 말을 듣고 나를 보내신 분을 믿는 사람은 영원한 생명을 얻을 것이다"(요한 5:24) "하느님께서 주시는 빵은 세상에 생명을 준다"(요한 6:33) "사람의 아들의 살과 피를 먹고 마시지 않으면 너희 안에 생명을 간직하지 못할 것이다"(요한 6:53) "나는 아브라함이 태어나기 전부터 있었다"(요한 8:58) "너희가 내 이름으로 구하는 것이면 무엇이든지 이루어주겠다"(요한 14:14)라는 것으로 주로 주님께서 '영원한 생명'에 관해 말씀하실 때는 "정말 잘 들어두어라"라고 특별히 강조하셨던 것 같습니다.

예수께서 자신을 착한 목자이며 우리들을 양이라고 비유하시는 말씀에서 그 특유의 말투를 두 번이나 강조하신 것은 이례적인 일입니다. 그것을 보아 평범한 것처럼 보이는 '목자와 양'의 말씀이 또 다른 가르침의 핵심임을 주님께서 분명하게 드러내고 계신 것입니다.

그러나 자세히 살펴보면 "도둑은 다만 양을 훔쳐다가 죽여서 없애려고 오지만, 나는 양들이 생명을 얻고 더 얻어 풍성하게 하려고 왔다"라고 하심으로써 여전히 '영원한 생명'에 관한 말씀의 비유임을 깨닫게 됩니다.

주님은 우리를 위해 목숨을 바치는 착한 목자이시며 영원한 생명으로 들어가시는 '진리의 문'입니다.

이 문을 거치지 않고는 아무도 하느님 아버지께 나아갈 수 없을

것입니다.(요한 14:6)

요한 10:1-10

의심이 많은 사람과 의문이 많은 사람

그러자 토마가 "주님, 저희는 주님이 어디로 가시는지도 모르는데
어떻게 그 길을 알겠습니까?" 하고 말하였다.

주님의 열두 제자 중 토마는 매우 특이한 사람입니다. 그는 쌍
둥이 형제 중의 한 사람으로 별명은 '의심 많은 사람'이었습니다.
그가 그런 별명을 얻게 된 것은 다른 제자들이 "주님을 뵈었소"라
고 말하자 "내 눈으로 그분의 손에 있는 못자국을 보고 또 내 손을
그분의 옆구리에 넣어보지 않고는 결코 믿지 못하겠소" 하고 말하
였던 데서 비롯된 것입니다.

주님이 나타나서 토마에게 직접 손과 옆구리를 만져보게 한 후
"의심을 버리고 믿어라"라고 말씀하시자 토마는 그 유명한 "나의
주님, 나의 하느님"이라는 신앙고백을 하게 됩니다.

이로부터 토마는 '의심이 많은 사람'이라는 다소 부정적인 평가
를 받게 되는데, 그런 의미에서 토마는 신앙을 갖고 있으면서도

또한 여러 가지 의심을 갖고 있는 현대인의 특성을 대변하고 있습니다. 그러나 토마의 이런 고집스런 의심이야말로 주님의 부활에 대한 확실하고도 명백한 증거를 제시해주었을 뿐 아니라 주님으로 하여금 "나를 보지 않고도 믿는 사람은 행복하다"(요한 20:29)는 말씀을 하시도록 했던 것입니다.

그렇게 보면 토마는 '의심 많은 사람'이 아니라 진리에 대해 '의문이 많은 사람'이었던 것 같습니다. 주님께서 느닷없이 "너희는 내가 어디로 가는지 그 길을 알고 있다"고 하시자 다른 제자들은 가만히 있는데 오직 토마만이 "그 길을 어떻게 알겠습니까?"라고 물었던 것은 그가 의문이 많은 사람임을 증명해주고 있습니다. 토마의 이런 질문이야말로 주님으로 하여금 복음의 핵심인 "나는 길이요, 진리요, 생명이다. 나를 거치지 않고서는 아무도 아버지께 갈 수 없다"는 진리를 말씀하시도록 했던 것입니다.

토마는 이런 의문 속에서 마침내 불굴의 신앙인으로 부활하였습니다. 일찍이 예수께서 유다로 돌아가려 하였을 때 제자들이 "돌로 치려 하였는데 다시 그리로 가시렵니까" 하고 걱정하자 토마만이 "우리도 함께 가서 그와 생사를 같이합시다"(요한 11:16)라고 용기를 보였던 것처럼, 토마는 주님으로부터 인도로 가라는 명령을 받자 "당신은 나의 주님이십니다. 나는 당신의 종입니다. 당신의 뜻대로 하시기 바랍니다"라고 대답한 후 목수로서 인도로 건너갔다고 합니다.

　전승에 의하면 토마는 인도에서 "인생은 비참한 것으로 각자의 운명에 맡겨지고 있습니다. 우리가 인생을 붙들고 있는 것으로 생각하고 있지만 인생은 언제나 움직이며 도망가버리는, 믿을 수 없는 것입니다"라고 말한 뒤 하느님의 말씀을 다음과 같이 비유했다고 전해오고 있습니다.

　"첫째, 하느님의 말씀은 정신의 눈을 비추는 안약이며, 둘째, 하느님의 말씀은 우리의 의지를 육체적 욕망에서 정화시키는 탕약이며, 셋째, 하느님의 말씀은 우리 죄의 상처를 낫게 해주는 고약이며, 넷째, 하느님의 말씀은 사랑을 먹게 해주는 훌륭한 음식입니다."

　토마는 마침내 인도에서 온몸이 창에 찔려 순교함으로써 주님과 생사를 같이하자는 자신의 예언을 스스로 성취하였습니다. 그러므로 이제 토마의 별명은 '의심이 많은 사람'에서 '의문이 많은 사람'으로 바뀌어야 합니다.

　주님은 우리 존재의 근원이며 우리 생명의 근본입니다. 그러므로 우리는 끊임없이 주님에게 묻고 또 물어야 합니다. 참다운 우리들의 기도는 주님께 향한 요구가 아니라 주님께 향한 질문인 것입니다.

요한 14:1-12

아버지, 때가 왔습니다

이제 조금만 지나면 세상은 나를 보지 못하게 되겠지만
내가 살아 있고 너희도 살아 있을 터이니 너희는 나를 보게 될 것이다.

릴케[1875~1926]는 독일이 낳은 20세기 최고의 시인입니다. 미숙아로 태어난 그는 어렸을 때는 부친을 좇아 군인이 되려고도 하였습니다. 하지만 병약하고 시인적 기질이 풍부하였던 청년 시절 조각가 로댕의 비서로 일하는 동안 예술의 진수를 접하게 됨으로써 대시인으로 급성장하게 됩니다.

어느 가을날 자신을 찾아온 이집트 여자 친구를 위해 장미꽃을 꺾다가 가시에 찔려 패혈증으로 생애를 마쳤던 릴케는, 깊은 종교적인 내적 묵상을 시 속에 접합시킨 서구시의 정점으로 일컬어지고 있습니다. 특히 「가을날」이라는 릴케의 대표적인 시는 그런 경향을 분명하게 드러내고 있습니다.

246

주여, 때가 되었습니다.

지난여름은 참으로 위대하였습니다.

해시계 위에 당신의 그림자를 얹어놓으십시오.

들판에 많은 바람을 풀어놓으십시오.

마지막 과실에게 결실을 명하십시오.

열매 위에 이틀만 더 남국의 햇볕을 주시어

그들을 완성시키고 마지막 단맛이

짙은 포도송이 속에 스며들게 하십시오.

지금 집이 없는 사람은 이제 집을 짓지 않습니다.

지금 고독한 사람은 계속 고독하게 살아갈 것입니다.

잠자지 않고, 책을 읽고, 긴 편지를 쓰고

그리하여 낙엽이 뒹구는 가로수 길을

불안스레 이리저리 헤매일 것입니다.

고독한 가을날, 이틀만 더 남국의 햇볕을 주시어 마지막 과일에게 단맛을 완성시켜달라는 릴케의 시적 감수성은 첫마디에서부터 번득입니다.

"주여, 때가 되었습니다."

때가 되었다는 릴케의 첫 구절은 바로 성서에서 주님의 목소리를 빌려온 것입니다. 주님처럼 '때를 기다린 사람'이 있었을까요.

가나의 혼인잔치에서 어머니가 포도주가 떨어졌다고 알리자 주님은 "그것이 저에게 무슨 상관이 있다고 그러십니까. 아직 제 때가 오지 않았습니다"(요한 2:4)라고 말씀하신 것을 시작으로, 주님께서 행하시는 훌륭한 일들을 널리 알리려는 제자들의 말에 "너희에게는 아무 때나 상관없지만 나의 때는 아직 오지 않았다"(요한 7:6), "그들은 예수를 잡고 싶었으나 그에게 손을 대는 사람은 하나도 없었다. 예수의 때가 아직 이르지 않았던 것이다"(요한 7:30) "사람의 아들이 큰 영광을 받을 때가 왔다"(요한 12:23), "이제 너희가 나를 혼자 버려두고 제각기 자기 갈 곳으로 흩어져 갈 때가 올 것이다. 아니 그때는 이미 왔다"(요한 16:32)라고 하시는 등 주님의 인생은 릴케의 시처럼 때를 기다린 일생이었던 것입니다.

주님께서는 최후의 만찬을 마치시고 붙잡히기 직전 하늘을 우러러보시며 마지막으로 제자들을 위하여 기도하십니다. 이때 주님은 이제 때가 왔음을 다음과 같이 선포하십니다.

"아버지, 때가 왔습니다."

이것을 통해 주님이 기다리신 때가 십자가에 못 박혀 죽으시는 것임을 우리는 깨닫게 됩니다.

주님이 돌아가시기 직전 "이제 다 이루었다"(요한 19:30)고 숨을 거두신 것은 바로 그런 '때의 완성'을 의미하는 것입니다.

주님은 때를 기다려 죽음과 부활과 승천이라는 완성과 함께 그

리스도가 되심으로써 이 세상을 구원하셨습니다. 이제 때를 기다
릴 차례는 "주여, 때가 되었습니다"라고 노래하였던 릴케의 시처
럼 주님께서 다시 오실 때를 기다릴 우리에게로 돌아온 것입니다.
그때는 이미 가까이 다가와 있습니다.

요한 14:15-21

어둔 밤

열한 제자는 예수께서 일러주신 대로 갈릴레아에 있는 산으로 갔다.

올리브산은 예루살렘 동쪽에 있는 해발 8백 미터의 가장 높은 산입니다. 올리브나무가 많아서 감람산이라고도 불리는 이 산은 주님과 각별한 인연이 있습니다.

주님은 자주 이곳에서 기도를 올리셨으며 수난 전날에도 이곳의 게쎄마니 동산에서 최후의 기도를 올리셨습니다. 돌을 던지면 닿을 만큼 가까운 거리(루가 22:41)에 앉아서 기도를 올리시는 동안 제자들은 잠만 자고 있었습니다. 베드로를 비롯한 제자들이 "주님과 함께 죽는 한이 있더라도 결코 주님을 모른다고 하지 않겠습니다"라고 헛맹세를 했던 장소도 이곳이며, 유다가 칼과 몽둥이를 든 무리들을 끌고 몰려와 주님께 입을 맞추고 체포했던 장소도 이곳입니다. 베드로가 칼을 들어 대사제의 종의 귀를 베어버린 곳도 이곳이며, 제자들이 모두 도망가버린 곳도 이곳입니다.

그런 의미에서 올리브산은 분노와 절망, 헛맹세와 폭력, 전쟁과 체포, 음모와 배신, 살상과 불의, 광기와 속임수, 게으름과 비겁 등 온갖 죄악이 난무하는 오늘 우리들이 살고 있는 어두운 이 세상을 상징하고 있는 것처럼 보입니다.

또한 바로 이 산에서 주님은 피땀을 흘리시며 하느님께 기도하셨으며, 그리고 마침내 십자가에 못 박혀 돌아가실 것을 결심하였습니다. 십자가의 성 요한은 주님이 보내셨던 올리브산에서의 밤을 '어둔 밤'으로 표현하면서 이렇게 말하였습니다.

"주님은 친히 '어둔 밤'의 고통을 잘 알고 있습니다. 그러기에 남모르게 사람들의 마음에 위로를 베푸시려고 늘 우리와 함께 계십니다."

십자가의 성 요한은 그러나 이처럼 악이 난무하는 감각의 어둔 밤을 거쳐야만 비로소 '정신의 밤'에서 '신앙의 밤'으로 정화되어 나아갈 수 있음을 말하였습니다. 십자가의 성 요한의 말처럼 온갖 악과 죄가 난무하는 올리브산이야말로 십자가의 어둔 밤을 거친 후 주님께서 승천하시는, 이 지상에서 가장 영광스러운 장소로 변했던 것입니다. 주님은 바로 이 수난과 고통의 산 위에서 땅 끝에까지 복음을 전하라는 지상명령을 내리신 후 "내가 세상 끝날 때까지 항상 너희와 함께 있겠다"는 말씀을 마지막으로 두 손을 들어 축복하시면서(루가 24:50) 구름에 싸여 하늘로 올라가셨던 것입니다. 이렇듯 게으름 속에 잠들어 있던 올리브산은 이제 주님께 엎드려 경배하는 장소로 변화하였으며, 분노와 절망에 가득 찼던 산은 이제 기쁨에 가득 찬 산으로, 온갖 배신과 광기에 가득 찼던 산은 하느님께 찬미하여 노래하는 산으로 바뀌었으며, 그 고통의 산에서 승천하심으로써 올리브산은 우리에게 주님께서 다시 오실 것을 약속하는 거룩하고 신성한 계약의 장소로 변화하였던 것입니다.

그렇습니다. 주님은 천사들의 말처럼 "우리가 보는 앞에서 하늘로 올라가시는 그 모양으로 다시 오실 것입니다."(사도 1:11)

주님이 다시 오실 때가 멀지 않았습니다. 바로 올리브산 위에서 주님께서 일찍이 예언하셨던 것처럼 무화과나무 가지가 연해지고 잎이 돋았으니 여름이 가까이 와 사람의 아들이 문 앞에 다가온 것이 바로 지금이기 때문입니다.

주님께서 다시 오실 때까지 우리는 주님의 죽음을 전하며 부활을 선포하심으로써 그리스도의 이름으로 회개하면 죄를 용서받는다는 기쁜 소식을 모든 민족에게 전파하여야 합니다. 이것은 그분을 믿는 우리의 사명이며 의무인 것입니다. 우리들이 입을 다물면 돌들이라도 소리를 지를 것입니다.(루가 19:40)

마태 28:16-20

거짓 평화를 주지 마라

너희에게 평화가 있기를!

내 아버지께서 나를 보내주신 것처럼 나도 너희를 보낸다.

'서방 수도자의 아버지'로 불리는 성 베네딕토는 480년경에 이탈리아 중부 누르시아에서 태어나 550년경에 돌아가신 분입니다. 그의 생애는 이처럼 정확히 알려진 바는 없지만 '기도하고 일하는' 베네딕토 수도자들의 규칙서를 남김으로써 모든 수도자들의 기초를 완성한 '하느님의 사람'이었습니다.

그의 전기를 저술한 성 그레고리오 1세 교황은 베네딕토가 저술한 단 하나의 규칙서를 다음과 같이 평가하고 있습니다.

"하느님의 사람 베네딕토는 뛰어난 분별력과 명쾌한 표현으로 규칙서를 서술하였다. 그분의 성품과 생활을 더 자세히 알려 하는 사람은 그분이 행동으로 가르친 모든 내용을 이 규칙서 안에서 찾아볼 수 있다. 왜냐하면 그분은 자신이 몸소 생활하셨던 것과는 다른 어떤 것도 가르칠 수 없는 분이셨기 때문이다."

이처럼 자신의 생애에 대해서는 어떤 흔적도 남기지 않고 철저히 숨기고 있지만, 규칙서는 "분별력이야말로 모든 덕행의 어머니"라고 한 베네딕토의 말처럼 '뛰어난 분별력'과 '명쾌한 표현'으로 가득 차 있습니다. 『베네딕토 규칙서』의 머리말은 다음과 같이 시작됩니다.

"오 아들아, 스승의 계명을 경청하고 네 마음의 귀를 기울이며 아버지의 훈사를 기꺼이 받아들여 보람 있게 채움으로써 불순종의 나태로 물러갔던 그분께 순종의 마음으로 되돌아가거라."

베네딕토가 남긴 규칙서 제4장은 성인이 스스로 표현한 '영적 기술의 도서'로서 74가지의 계율을 하나하나 열거하고 있습니다.

"첫째로 마음을 다하고, 정신을 다하고, 힘을 다하여 주 하느님을 사랑하여라"로 시작되는 베네딕토의 계율은 25번째에 이르러 다음과 같이 가르치고 있습니다.

"거짓 평화를 주지 마라."

그 당시에는 손님이 찾아오면 수도자들은 서로 평화의 입맞춤을 나누곤 했습니다. 베네딕토는 '손님을 받아들임에 대해서'라는 항목에서 손님들을 온갖 사랑의 친절로 받아들여야 하며 기도를 바치기 전에 하는 평화의 입맞춤은 '악마의 속임수'이니 위선적인 평화의 입맞춤은 하지 말라고 경계했던 것입니다.

주님은 부활하신 후 나타나셨을 때 "너희에게 평화가 있기를" 하고 두 번이나 평화의 인사말을 하십니다. 두려움에 떨고 있는 제자들 앞에 주님은 그리스도의 평화의 상징인 자신의 손과 옆구리를 보여주십니다. 그러자 제자들의 두려움은 '어쩔 줄 모르는 기쁨'으로 변하게 됩니다. 주님은 붙잡히시기 직전 평화에 대해서 이렇게 말씀하셨습니다.

"나는 너희에게 평화를 주고 간다. 내가 주는 평화는 세상이 주는 평화와는 다르다."(요한 14:27)

주님의 말씀처럼 이 세상이 주는 평화는 평화가 아닙니다. 그것은 성인의 표현처럼 '거짓 평화'인 것입니다. 이 세상이 주는 평화에는 손에 박힌 못자국과 옆구리에 찔린 창자국이 없습니다. 그것은 억압된 평온과 강요된 침묵의 거짓 평화인 것입니다.

인간 존재로서의 해방과 평등으로서의 자유가 없다면 그것은 평화가 아니라 이 세상에 권력자들이 외치는 구호에 지나지 않습니다. 우리는 미사 때마다 "평화를 빕니다" 하고 평화의 인사를 나누고 있습니다. 그러나 그 평화의 인사 속에 그리스도의 참평화가 깃들어 있는지, 아니면 성인이 경계하였던 악마의 속임수인 거짓 평화가 깃들어 있는지 우리들은 진심으로 분별하여야 할 것입니다.

요한 20:19-23

에밀레종

하느님이 아들을 세상에 보내신 것은 세상을 단죄하시려는 것이 아니라
아들을 시켜 구원하시려는 것이다.

경상북도 경주시 국립박물관 앞마당에는 동종銅鐘 하나가 놓여 있습니다. 우리나라에 현존하는 최고, 최대의 종으로, 통일신라 시대 성덕왕의 공덕을 기리기 위해 그의 아들 경덕왕이 만들기 시작하여 손자인 혜공왕이 완성한 국보 제29호입니다. 따라서 이 종의 공식 이름은 '성덕대왕 신종'이지만 흔히 '에밀레종'이라고 불립니다.

이 종이 그렇게 불리게 된 데는 유명한 전설이 있습니다. 그 무렵 도둑이 들끓고 흉년이 드는 난세가 되자 경덕왕은 선왕의 명복을 비는 종을 만들면 악귀들이 물러가고 태평성대가 오리라는 염원으로 구리 20여만 근을 들여 종을 만들기 시작하였습니다. 그러나 이 작업은 그의 아들인 혜공왕 때까지 이어졌는데, 종을 만드는 재료가 부족하여 스님들은 집집마다 시주를 받으러 다녔습니

다. 한 스님이 쓰러져가는 집을 방문했을 때 한 아기의 어머니가 이렇게 말했습니다.

"저희 집에는 아무것도 시주할 것이 없습니다. 이 아이라도 괜찮으시다면 받아주십시오."

드디어 종이 완성되어 타종하여보았으나 이상하게도 소리가 나지 않았습니다. 그날 밤, 스님의 꿈에 한 노인이 나타나 말했습니다.

"산 아기를 넣어 종을 만들어야 소리가 난다."

꿈에서 깬 스님은 그 여인을 찾아갔습니다. 그러자 여인이 말하였습니다.

"부처님과의 약속이니 기꺼이 아이를 드리겠습니다."

아이는 곧 뜨거운 쇳물에 넣어졌고, 마침내 종이 완성되었습니다. 타종을 하자 종에서는 이제껏 들을 수 없었던 웅장한 소리가 울려 퍼지기 시작하였습니다. 그러나 백성들에게는 그 종소리가 마치 아기가 어머니를 애타게 부르는 소리 "에밀레— 에밀레—"로 들렸던 것입니다. 이로부터 그 종은 '에밀레종'으로 널리 불리게 되었습니다.

생전에 주님은 '포도원 소작인의 비유'(마태 21:33~46)를 통해서 자신을 다음과 같이 비유하셨습니다.

"하느님이 포도원을 만드셨다(이 세상을 만드셨음을 비유). 그리고 철이 되면 종(예언자)을 보내어 말을 전하게 하셨다. 그러나 사람들은 종들을 때리고 돌로 쳐 죽였다. 하는 수 없이 하느님은 '내 아들이야 알아보겠지' 하고 자신의 외아들을 보내셨다. 그러나 사람들은 '저자야말로 상속자다. 저자를 죽이면 이 포도원은 우리 것이 될 것이다' 하고 끌어내어 죽여버렸다(십자가에 못 박혀 돌아가심의 예언)."

주님의 비유처럼 하느님은 자신이 만든 포도원인 이 세상에 여러 사람을 보내어 말씀을 전하게 하셨습니다. 그러나 포도원 사람들은 그 말을 믿지 않았습니다. 마치 소리가 울리지 않던 종처럼 포도원 사람들에게는 그 말씀의 종소리가 들리지 않았던 것입니다. 하지만 하느님은 이 세상을 극진히 사랑하셨으므로 마침내 외아들인 주님을 보내셨습니다. 그러나 우리는 그 외아들을 십자가에 못 박아 죽여버린 것입니다. 이 엄청난 비극이 이 세상에 영원한 생명의 구원을 가져올 것을 그 누가 알았겠습니까.

아기를 넣어 죽임으로써 그 종이 "에밀레 — 에밀레 —" 하고 울며 이 세상의 어둠을 물리치듯이 외아들 주님을 끓는 쇳물 속에 넣어 완성한 그리스도 왕국의 신종神鐘이야말로 우리들의 마음속에 영원히 "하늘에 계신 우리 아버지 — 우리 아버지 —" 하고 울려 퍼질 것입니다.

요한 3:16-18

씨 뿌리는 사람

씨 뿌리는 사람이 씨를 뿌리러 나갔다.

파리의 오르세 미술관에 전시된 작품 중 가장 유명한 〈만종〉의 작가 밀레[1814~1875]는 프랑스의 노르망디 지방에서 농민의 아들로 태어났습니다. 젊은 시절 파리로 진출했던 밀레는 도회적인 그림을 통해 출세하려 했습니다. 그러나 그의 나이 서른네 살 때인 1848년 어느 날 밤, 가게에 걸려 있는 밀레의 그림을 본 한 청년이 "밀레는 벌거벗은 여자만 그리는군" 하는 소리를 듣고 밀레는 깊은 수치감에 빠집니다.

그 순간 그는 자신이 그릴 것은 도시의 벌거벗은 여인의 나체가 아니라 자신이 태어난 농촌을 주제로 한 농민들의 가난한 생활임을 절실히 깨닫게 됩니다. 그리하여 그는 파리 교외 바르비종으로 이사하여 빈곤과 싸우며 몸소 농사를 지으면서 숙명적으로 대지와 맺어져 있는 농민들의 모습과 자연 풍경을 계속해서 그리기 시작하였습니다.

밀레가 바르비종으로 이사해서 그린 첫 번째 작품이 바로 〈씨 뿌리는 사람〉이었습니다. 해 질 무렵에 모자를 쓴 건장한 농부가 들새들이 날아다니는 하늘을 배경으로 한 움큼 씨앗을 들고 대지를 향해 파종을 하는 힘찬 모습을 통해 밀레는 비로소 자신이 그려야 할 소재가 무엇인가를 깨닫게 된 것입니다. 그리하여 〈이삭줍기〉 〈양 치는 소년〉 〈만종〉 등 많은 걸작을 세상에 내놓을 수 있었던 것입니다. 밀레는 재능이 번득이는 천재적인 화가는 아니었습니다. 그러나 그는 농민들의 모습을 있는 그대로 묘사하여 감명을 준 위대한 화가였습니다. 특히 하루의 일을 끝내고 노을 진 지평선 너머에서 들려오는 성당의 종소리를 들으며 모자를 벗고 기도를 드리고 있는 한 농민 부부의 모습을 그린 〈만종〉에서 그는 가난한 농촌 속에 종교적 생명을 불어넣음으로써 화가에서 인생의 창조자로 승화할 수 있었던 것입니다.

밀레가 이렇게 변했던 것은 예술가에게 가장 중요한 것은 도시에서의 화려한 성공이 아니라 무엇을 어떻게 그리느냐는 것임을 깨달았기 때문입니다. 밀레는 〈씨 뿌리는 사람〉을 통해 농부들이 밭에 씨를 뿌리듯 화가 역시 예술의 밭에 씨를 뿌리는 농부임을 깨달았던 것입니다.

주님은 '씨 뿌리는 사람'의 비유를 통해 자신이 씨를 뿌리는 사람임을 분명히 말씀하고 계십니다. 같은 말씀의 씨앗을 뿌렸는데도 어떤 것은 새들이 쪼아 먹고, 어떤 것은 말라버리고, 어떤 것은 가시덤불에 떨어져버린다는 비유를 통해서 주님은 가시덤불과 같은 이 세상의 온갖 걱정과 유혹, 새와 같은 악마, 뿌리내리지 못한 얕은 신앙을 극복하고 그 말씀의 씨앗을 잘 듣고 깨달아 큰 열매를 맺으라고 가르치고 계신 것입니다.

어디 주님뿐이겠습니까. 밀레도 자신이 '미*의 씨앗'을 뿌리는 구도자임을 깨달아 마침내 태어난 고향으로 돌아가 위대한 화가가 될 수 있었듯이 우리 모두는 자기 나름대로의 씨 뿌리는 사람인 것입니다.

우리가 좋은 씨앗을 뿌린다면 우리는 좋은 열매를 맺을 수 있을 것입니다. 그러나 우리가 가라지의 씨앗을 뿌린다면 우리는 가라지의 열매를 맺게 될 것입니다.

우리의 생각과 우리의 말과 우리의 행동은 우리가 인생의 텃밭에 뿌리는 씨앗인 것입니다.

밀레가 그린 〈씨 뿌리는 사람〉처럼 우리는 모두 봄에 뿌린 그대로 가을에 거두는 인생의 농부들인 것입니다.

마태 13:1-23

생명의 빵

나는 하늘에서 내려온 살아 있는 빵이다.

샤토브리앙[1768~1848]은 프랑스 낭만파 문학의 선구자입니다. 몰락한 귀족의 어두운 그늘이 감도는 집안에서 오직 파도만을 벗하며 자란 그는 군인을 거쳐 대혁명에 참여하기도 했던 정치가이기도 했습니다.

어렸을 때는 독실한 가톨릭 신자였지만 한때 종교를 부정하기도 했던 그는 대혁명의 소용돌이 속에서 어머니와 누이가 희생당하자 가톨릭에 복귀하여 호교론護敎論의 열렬한 투사가 되어 『그리스도교의 정수』라는 책을 썼습니다.

이후 자연에의 동경, 연애 지상주의적 정열, 허무주의적 번민 등을 화려한 필체로 묘사함으로써 낭만주의 문학을 꽃피우기도 하였습니다.

말년에는 방대한 자서전『무덤 저편의 추억』을 집필하였는데 이 자서전에는 열다섯 살 때 첫 영성체를 했던 자신의 추억을 생생하게 표현하고 있습니다.

"저는 부활절 전주 수요일에 판공성사를 받으러 가야 했습니다. 왜냐하면 그날이 저의 첫 영성체 전날이었기 때문이었지요. 저는 철야기도를 열심히 하면서 미리미리 준비했습니다. 성당에 도착했을 때 저는 성체를 모신 감실 앞에서 완전히 도취된 채 무릎을 꿇고 있었습니다. 제 차례가 왔을 때 저는 마지막으로 올바르게 고해하고 거룩한 죄사함을 받기 위해서 고해실로 들어갔습니다. 저는 온몸이 떨려서 무릎을 꿇고 가만히 앉아 있을 수가 없을 지경이었습니다."

그러나 열다섯 살의 샤토브리앙은 처음에는 모든 죄를 고백하지 못하였다고 회상하고 있습니다. 그래서 그는 신부님께 다음과 같이 말하였습니다.

"신부님, 저는 아직 모든 것을 말씀드리지 못하였습니다."

그러고 나서 그는 그때의 심경을 다음과 같이 묘사하고 있습니다.

"그래서 저는 스스로 놀랄 정도의 용기와 믿음을 가지고 모든 것을 고백했습니다. 이제 제 영혼을 압박하던 어떤 부담감도 떨어져 나갔습니다. 커다란 기쁨이 제 마음속에 스며들었습니다. 이런 축복과 사랑이 언제나 저를 감싸고 있다는 것을 확신할 수 있었습니다. 저는 흐느꼈습니다. 그것은 참회의 눈물이었고 천국의 행복감에서 우러나오는 기쁨의 눈물이었습니다."

하루 뒤인 성목요일에 마침내 샤토브리앙은 첫 영성체를 했습니다. 그때의 기쁨을 그는 다음과 같이 묘사하고 있습니다.

"저는 빵과 포도주의 겸허한 모습으로 우리에게 당신을 내어주시는 하늘과 땅의 왕이신 주님께 나 자신을 바쳤습니다. 성찬식 때 진실로 그리스도께서 함께하신 것이 마치 어머니가 옆에 같이 계신 것처럼 느낄 수 있었습니다. 제가 입을 벌려서 성체를 받았을 때 저는 저 자신이 축복을 받는 상태로 변한 것을 느낄 수 있었습니다. 저는 감격과 경외심으로 몸이 떨렸습니다. 주님의 사랑이 저의 마음속에 불을 붙여주셨기 때문에 저는 하느님을 공경하기 위해 마치 순교자처럼 기꺼이 저의 생명을 바칠 수 있을 것 같았습니다."

주님께서는 말씀하셨습니다.

"나는 하늘에서 내려온 생명의 빵이다. 이 빵을 먹는 사람은 누구든지 영원히 살 것이다. 세상은 그것으로 생명을 얻게 될 것이다."

주님의 말씀처럼 샤토브리앙은 빵과 포도주의 겸허한 모습으로 우리에게 당신을 내어주시는 주님께 첫 영성체를 함으로써 자신이 축복받은 상태로 변화했음을 느꼈던 것입니다. 우리도 샤토브리앙처럼 매주 주님의 살을 먹고 피를 마시고 있습니다. 그러나 그 속에서 참생명을 얻지 못한다면 그것은 다만 밀로 만든 떡을 먹는 일에 지나지 않을 것입니다.

요한 6:51-58

베드로의 뉘우침과 유다의 후회

예수께서 열두 제자를 불러 악령들을 제어하는 권능을 주시어
그것들을 쫓아내고 병자와 허약한 사람들을 모두 고쳐주게 하셨다.
열두 사도의 이름은 이러하다.

예수께서 산으로 올라가 밤을 새우시며 하느님께 기도하시고
직접 뽑아 사도로 삼은 제자는 모두 열두 명(루가 6:12-13)입니
다. 예수께서는 이 열두 제자에게 악령을 제어하는 권능을 주시어
병자와 허약한 사람을 모두 고쳐주게 하셨습니다. 열두 사도의 이
름은 베드로에서부터 시작되어 유다에게서 끝이 납니다. 제자 이
름의 서열을 통해 으뜸 제자는 누가 뭐래도 주님께서 "이 반석 위
에 교회를 세우겠다"(마태 16:18)고 예언하신 베드로임을 알게 되
고, 꼴찌 제자는 주님께서 "차라리 태어나지 않았더라면 더 좋을
뻔했다"(마르 14:21)고 말씀하신 '예수를 팔아넘긴 가리옷 사람
유다'임을 알게 됩니다. 그러나 따지고 보면 으뜸 제자인 베드로
나 꼴찌 제자인 유다는 많은 공통점을 가지고 있습니다.

베드로가 정열적이고 힘이 센 어부 출신의 제자였다면 유다는 세리였던 마태오를 제치고 사도들의 회계를 맡아 보던 머리 좋고 유능한 사람이었습니다. 그러나 뭐니 뭐니 해도 두 사람의 공통점은 모두 주님을 배신하였던 점일 것입니다. 베드로는 세 번이나 주님을 모른다고 부인하였던 배신자였으며, 유다는 주님을 은전 서른 닢에 팔아넘긴 배반자였던 것입니다. 그러나 이 두 배신자 중 한 사람은 교회의 머리가 되었으며 한 사람은 끝내 목매달아 자살하여 죽음으로써 나그네의 묘지에 묻혀 영원히 안식을 얻지 못하는 저주받은 영혼이 되었던 것입니다. 그렇다면 두 사람의 무엇이 이들의 운명을 이처럼 극과 극으로 갈라놓았던 것일까요. 그것은 아마도 두 사람이 주님을 배반한 직후에 보인 행동에서부터 비롯됩니다.

베드로는 주님을 모른다고 배반한 후 주님과 눈을 마주친 다음 밖으로 나가 슬피 울며(루가 22:62) 자신의 행동을 뉘우쳤습니다. 그러나 유다는 "내가 죄 없는 사람을 배반하여 그의 피를 흘리게 하였으니 나는 죄인입니다"(마태 27:4) 하고 죄의식을 느끼며 후회는 하였지만 결코 회개하지는 않았던 것입니다.

베드로는 자신의 죄를 뉘우침으로써 용서를 받을 수 있었지만 유다는 자신의 죄를 후회는 하였으나 회개하지 못하였으므로 끝내 용서받지 못하였던 것입니다.

베드로가 자신의 죄를 뉘우칠 수 있었던 것은 그가 주님을 등지지 않고 항상 주님 곁에 머물며 주님을 마주 보고 있었기 때문이었습니다. 그러나 유다는 주님을 배반함과 동시에 주님을 등지고 주님을 떠나 멀어져갔던 것입니다. 이를 요한은 다음과 같이 표현하고 있습니다.

"유다는 곧 밖으로 나갔다. 때는 밤이었다."(요한 13:30)

베드로와 유다는 똑같이 밖으로 나갔으나 한 사람은 슬피 울었고 한 사람은 밤의 어둠 속으로 사라져갔던 것입니다.

베드로와 유다의 결정적인 차이는 이처럼 주님을 '마주 봄'과 주님을 '등지고 떠남'에 있는 것입니다.

죄인인 우리들이 죄를 용서받기 위해서는 무엇보다 베드로처럼 주님을 향해 몸을 돌려 그를 마주 보아야 합니다. 그러나 죄인인 우리들이 유다처럼 주님을 등지고 캄캄한 밤을 마주 보며 어둠 속에 머물러 있을 때 우리의 죄는 죄책감인 '피의 밭' 속에 그대로 묻혀 있을 것입니다.

그렇습니다.

뉘우침은 우리가 선 그 자리에서 주님께로 "뒤로 돌아!" 하고 마주 보는 자세를 취하는 데서 비롯되는 것이며 회개야말로 배신자 베드로를 으뜸 제자로 만든 원동력인 것입니다.

마태 10:1-4

행복한 왕자

그런 참새 한 마리도 너희의 아버지께서 허락하지 않으시면
땅에 떨어지지 않는다.

오스카 와일드[1854~1900]는 아일랜드 더블린에서 태어난 영국의 시
인이자 소설가, 평론가입니다. 옥스퍼드 대학 재학 중 '예술을 위
한 예술'이라는 탐미주의를 주창함으로써 스스로 그 기수가 되었
던 그는 서른네 살 때에 동화집 『행복한 왕자』를 출판하였으며 다
음 해에는 유일한 장편소설인 『도리언 그레이의 초상』을 발표하였
습니다. 그러나 마흔한 살이 되던 해 미성년자와의 동성애 혐의로
유죄 판결을 받고 2년 동안 감옥에서 중노동을 한 후 파리에서 비
참한 생애를 마쳤습니다. 이처럼 불행했던 그의 생애와는 달리 그
의 작품에는 천재적 재능이 엿보입니다. 특히 세계적으로 유명한
동화 「행복한 왕자」는 그의 문학적 향기가 번득이는 걸작입니다.

어느 도시의 광장에 행복한 왕자라는 동상이 서 있습니다. 눈은

보석으로 빛나고 온몸은 황금으로 찬란한 동상이었습니다. 어느 해 가을, 따뜻한 남쪽으로 날아가던 철새 중 하나가 그만 부상을 입고 잠시 이 동상에 머물며 쉬고 있었습니다. 그날 밤, 동상 위에서 잠들어 있던 새는 차가운 물방울에 잠에서 깨게 됩니다. 새는 그 물방울이 왕자가 흘리는 눈물임을 알고 그 이유를 묻습니다. 그러자 왕자는 다음과 같이 대답합니다. "이 도시에 살고 있는 불쌍한 병든 아이 때문에 울고 있단다." 그리고 왕자는 새에게 이런 부탁을 합니다. "내 눈에 박힌 보석을 그 아이에게 날라다주지 않겠니?"

새는 왕자의 눈에 박힌 보석을 부리로 물어다가 그 가난한 아이에게 가져다줍니다. 눈먼 왕자는 그후로도 자신의 몸을 감싸고 있는 황금을 가난한 사람들에게 나눠주고 싶어했으며, 새는 왕자의 소원대로 황금을 뜯어내어 사람들에게 나누어줍니다. 그리고 새는 밤마다 눈먼 왕자에게 자신이 한 행동을 낱낱이 얘기해주곤 했습니다. 행복한 왕자라는 이름을 가진 동상은 그제서야 진정으로 '행복한 왕자'가 될 수 있었던 것입니다.

그러나 아름답던 왕자의 동상은 어느새 도시의 흉물로 변하고 말았습니다. 보석이 떨어져 나가고 황금으로 감싼 겉면이 사라지자 흉측한 모습으로 변한 왕자는 시장에 의해서 마침내 헐려지고 철새 역시 찾아온 추위 때문에 얼어죽게 됩니다. 그러나 왕자의 영혼과 새의 영혼은 나란히 천국으로 올라가게 되는 것입니다.

주님께서는 말씀하셨습니다.

"참새 두 마리가 단돈 한 닢에 팔리지 않느냐. 그러나 그런 참새 한 마리도 너희 아버지께서 허락하지 않으시면 땅에 떨어지지 않는다. 너희는 참새보다 훨씬 귀하다."

주님의 말씀처럼 하느님은 한갓 참새 한 마리도 함부로 땅에 떨어뜨리지 않습니다. 참새뿐 아니라 상한 갈대 하나도 함부로 잘라 버리지 않으시고, 심지가 깜박거린다 하여서 등불조차 함부로 꺼 버리지 않으십니다.(이사 42:3)

오스카 와일드의 「행복한 왕자」는 주님의 이러한 사랑을 극명하게 보여주고 있습니다. 그렇게 보면 주님은 도시의 광장 한복판에 서 있는 행복한 왕자 그 자신일지도 모릅니다. 가난한 사람을 위해 자신이 가진 것을 모두 나눠주는 왕자의 마음이야말로 주님의 성심이며 주님의 사랑을 날라주다 죽은 철새의 희생이야말로 '귀에 대고 속삭인 말을 지붕 위에서 외친' 순교인 것입니다. 그러므로 진실로 행복한 것은 왕자가 아니라 철새였던 것입니다. 왜냐하면 새의 육신은 죽었지만 영혼의 천국으로 인도되었기 때문입니다.

오스카 와일드의 동화처럼 철새 한 마리의 영혼도 구원하시는 주님이 계신데 우리들이 더 이상 무엇을 두려워하겠습니까.

마태 10:26-31

평화와 칼

집안식구가 바로 자기 원수다.

칼릴 지브란[1883~1931]은 레바논에서 목사의 딸인 어머니와 부유한 목축업자인 아버지 사이에서 태어났습니다. 어머니의 깊은 신앙심과 예술에 대한 풍부한 감성은 지브란의 성격 형성에 깊은 영향을 미쳤습니다. 열두 살 때 미국으로 이주하였으나 다시 아랍어 교육을 위해 레바논으로 돌아온 그는 미술 공부를 위해 파리로 가서 조각가 로댕을 만나 많은 영감을 받기도 하였습니다.

그러나 그는 엄청난 독서를 통해서 인간 존재의 근원을 명상함으로써 평화주의자로, 또한 조국의 동포들에게는 압제에 항거하는 자유주의자로 일컬어졌으며 많은 사람들은 그를 '20세기의 성자'로까지 부르고 있습니다.

특히 스무 살 때 완성한 『예언자』는 그의 특성이 분명하게 드러나고 있습니다. 이 책에는 '우리들의 아이'에 대해 다음과 같은 단상이 실려 있습니다.

당신의 아이는 당신의 아이가 아니다.
그들은 그 자체를 갈망하는 생명의 아들딸들이다.
그들은 당신을 통해 왔지만 당신으로부터 온 것이 아니다.
그리고 그들은 당신과 함께 있지만 당신의 소유물이 아니다.
당신은 그들에게 사랑을 주어도 좋지만 당신의 생각을 주어서는 안 된다.
왜냐하면 그들은 자신의 생각을 갖고 있기 때문이다.
당신은 그들의 육체를 만들 수 있으나 영혼을 만들 수는 없을 것이다.
왜냐하면 그들의 영혼은 내일의 집을 살고 있기 때문인 것이다.
당신은 심지어 꿈속에서도 그들의 집을 방문할 수 없다.
당신은 그들을 좋아하려 애쓸 수 있다 하지만 그들이 당신을 좋아하게끔 만들려 하지 말라.
왜냐하면 인생은 뒤로 가는 것이 아니며 어제와 함께 머물러서는 안 되기 때문인 것이다.

주님은 말씀하셨습니다.

"나는 세상에 평화를 주러 온 것이 아니라 칼을 주러 왔다. 집안 식구가 바로 원수이다."

그러고 나서 다음과 같은 극단적인 말씀을 하십니다.

"아버지나 어머니를 나보다 더 사랑하는 사람은 내 사람이 될 자격이 없고, 아들이나 딸을 나보다 더 사랑하는 사람도 내 사람이 될 자격이 없다."

얼핏 보면 주님의 이 말씀은 모순된 것 같습니다. 주님이 우리에게 평화를 주러 오신 것이 아니라 칼을 주러 오셨다니요. 그러나 깊이 묵상하면 할수록 주님이 아버지와 어머니 그리고 아들과 딸이 함께 살고 있는 우리들의 가정을 얼마나 사랑하고 계신가를 깨닫게 됩니다. 물론 우리들은 본능적으로 부모님과 아이들을 사랑합니다. 그러나 깊이 살펴보면 그 사랑은 칼릴 지브란의 노래처럼 참사랑이 아니라 소유욕일 때가 많습니다. 아들에 대한 어머니의 사랑은 참사랑이 아니라 '애착愛着'이며 내 남편, 내 아이, 내 어머니에 대한 집착은 사랑이 아니라 '애욕愛慾'인 것입니다.

우리가 진심으로 가정의 평화를 이루기 위해서는 그 애욕을 끊어야 합니다. 주님이 말씀하신 칼은 서로를 증오하는 '살인검殺人劍'이 아니라 그 애욕을 끊어버리는 '활인검活人劍'인 것입니다.

아이에 대한 애착을 주님의 칼로 끊어버릴 때 우리들의 아이는 칼릴 지브란이 노래하였듯 우리들의 소유물에서 내일의 집에 머물고 있는 고귀한 영혼을 가진 아이들로 성장하게 될 것입니다.

우리들이 주님의 칼로 가정에 대한 소유욕과 집착을 끊어버릴 수 있다면 우리들의 어머니는 예수를 낳은 마리아며, 우리들의 아이는 또 하나의 작은 예수임을 깨닫게 될 것입니다.

그리하여 우리들의 모든 가정이 작은 성당이며 고귀한 영혼들이 머무는 성 가정임을 깨닫게 될 것입니다.

마태 10:36-42

우리는 어느 나라 시민인가

너희를 법정에 넘겨주고 회당에서 매질할 사람이 있을 터인데
그들을 조심하여라.

부처가 태어났을 때 아시타라는 예언자가 카필라성을 찾아왔습니다. 그는 히말라야 깊숙한 곳에서 수도하던 선인㈜人이었습니다. 그는 어린 부처를 유심히 들여다보다가 갑자기 울기 시작하였습니다. 불길한 예감을 받은 왕이 그 이유를 묻자 그는 다음과 같이 말하였습니다.

"이 아이는 모든 중생을 구제할 부처님이 되실 분입니다. 그러나 저는 여생이 얼마 남지 않아 이 아이가 도를 이루어 부처님이 되실 그때까지 살지 못할 생각에 저절로 눈물이 나온 것입니다."

이와 마찬가지로 정결예식을 치르기 위해서 아기예수를 성전에 데리고 왔을 때 시므온은 다음과 같은 예언을 합니다.

"이 아기는 많은 사람들의 반대를 받는 표적이 되어 당신의 마

276

음은 예리한 칼에 찔리듯 아플 것입니다. 그러나 그는 반대자들의 숨은 생각을 드러나게 할 것입니다."(루가 2:34-35)

위대한 성자가 태어날 때에는 선지자가 등장하여 이들의 운명을 예언하는데, 실제로 부처는 모든 중생을 구제하는 부처님이 되었으며, 아기예수는 많은 사람들의 반대를 받는 표적이 되어 마침내 십자가에 못 박혀 돌아가심으로써 우리들의 그리스도가 된 것입니다.

예수님의 짧은 인생, 그 가운데서도 더욱 짧은 3년의 공생활이야말로 온 인류의 거짓 생활과 숨은 생각을 넘어뜨리고, 송두리째 뒤집어버린 거대한 해일이었으며 폭풍이었습니다. 그는 "회개하라, 하늘나라가 다가왔다"고 입을 열어 선포하심으로써 인류에게 '하늘나라의 시민권'의 첫 주민등록증을 발급하셨습니다.

그 당시 예루살렘에서는 '로마의 시민권'이 최고의 명예였습니다. 바울로도 자신을 결박하자 "로마의 시민을 재판도 하지 않고 매질하는 법이 어디 있소?"라고 항의합니다. 이에 파견대장이 "나로 말하면 많은 돈을 들여 로마 시민권을 얻었소" 하고 자랑하자 바울로는 "나로 말하면 태어나면서부터 로마의 시민권을 가진 사람입니다"라고 기를 죽입니다.(사도 22:25-29) 이러한 장면에서도 알 수 있듯이 역사상 최대의 제국이었던 로마의 주민등록증을 얻는 것은 출세와 성공의 상징이었습니다.

그러나 예수는 마구간에서 태어나심으로써 그 출생부터 로마의 시민권과는 거리를 두었으며, 악마로부터 물질과 명예와 권력을 보장하는 로마 시민권의 유혹을 물리침으로써 이 세상의 가치관과는 전혀 다른 하늘나라의 시민권을 선포하신 것입니다.

아직 로마는 멸망하지 않았습니다. 황제로 비유되는 이 세상의 권력자들은 자신의 가치관에 정면으로 반대되는 예수를 아직도 법정에 넘기고, 매질하며, 고발하고, 재판하여 죽이고 있는 것입니다. 따라서 우리가 사는 사회는 아직도 우리에게 로마의 시민권을 요구하고, 우리가 믿는 신앙은 우리에게 하늘나라의 시민권을 요구합니다. 우리는 과연 두 개의 시민권 중 어느 것을 택해야 할 것입니까. 많은 그리스도인들처럼 두 개의 시민권을 동시에 소유함으로써 하느님과 재물 두 가지를 한꺼번에 소유할 수 없다는 주님의 말씀에 거역하는 이중국적자가 될 것입니까.

지금 이 순간 우리는 자신에게 준엄하게 물어봐야 할 것입니다. 나는 로마의 시민인가, 아니면 하늘나라의 시민인가, 그것도 아니면 두 개의 시민권을 모두 가진 이중국적자인가.

마태 10:17-22

하늘에 계신 우리 아빠

1판 1쇄 발행 2008년 3월 5일
1판 3쇄 발행 2008년 3월 7일

지은이 최인호
펴낸이 정중모
펴낸곳 열림원
편집장 김현정
책임편집 김수진 김소라
디자인 이승욱 염단야
제작 송정훈
영업 배한일 김경훈 정용민 박치우
관리 강정희 신지혜 김은성 정소연
등록 2006년 10월 12일(제406-2006-00067호)
주소 경기도 파주시 교하읍 문발리 출판문화정보산업단지 513-15
전화 031-955-0700
팩스 031-955-0661
홈페이지 www.yolimwon.com
이메일 editor@yolimwon.com

ⓒ 2008, 최인호

ISBN 978-89-7063-580-4 03810

□ 책값은 뒤표지에 있습니다.